MW00849478

Anne Buscha ◆ Szilvia Szita

Begegnungen
Deutsch als Fremdsprache

Glossar
Englisch – Französisch – Spanisch

Sprachniveau A1⁺

Englische Übersetzung: Szilvia Szita
Französische Übersetzung: Eszter Szabo
Spanische Übersetzung: Alejandro Flores Jimenez

SCHUBERT-Verlag
Leipzig

Die Autorinnen von **Begegnungen** sind Lehrerinnen am
Goethe-Institut Niederlande und verfügen über langjährige
Erfahrungen in Deutschkursen für fremdsprachige Lerner.

Bitte beachten Sie unser Internet-Angebot mit zusätzlichen
Aufgaben und Übungen zum Lehrwerk unter:

www.aufgaben.schubert-verlag.de

Layout und Satz: Maria Schubert

© SCHUBERT-Verlag, Leipzig
2., unveränderte Auflage 2013
Alle Rechte vorbehalten
Printed in Germany
ISBN: 978-3-929526-88-2

Inhaltsverzeichnis

Anweisungen

Instructions

▥ Anweisungen

▥ Instructions

Achten Sie auf (die Konjugation.)	Pay attention to (the conjugation.)
Antworten Sie.	Answer.
Berichten Sie.	Tell about your experience.
Bilden Sie Sätze/Fragen.	Build sentences/questions.
Diskutieren Sie in kleinen Gruppen.	Talk in small groups.
Ergänzen Sie (die Lücken).	Fill in (the blanks).
Fragen Sie Ihre Nachbarin/Ihren Nachbarn.	Ask your female neighbour/male neighbour.
Hören Sie.	Listen.
Kreuzen Sie (die richtige Antwort) an.	Mark (the right answer).
Lesen Sie (den Text).	Read (the text).
Lesen Sie den Dialog mit verteilten Rollen.	Distribute the roles and read the dialogue.
Markieren Sie: Richtig oder falsch?	Tick: right or wrong?
Notieren Sie.	Take notes.
Ordnen Sie zu.	Put (the words) in the right group.
Reagieren Sie.	React.
Schreiben Sie einen kurzen Text.	Write a short text.
Spielen Sie (kleine) Dialoge.	Play (short) dialogues.
Sprechen Sie die Wendungen nach.	Repeat the expressions.
Unterstreichen Sie (die Endungen).	Underline (the endings).
Überprüfen Sie sich selbst.	Check yourself.
Übersetzen Sie (die Wendungen) in Ihre Muttersprache.	Translate (the expressions) into your native language.
Verbinden Sie (die Antonyme/Synonyme).	Connect (the synonyms/antonyms).
Was passt?	Which (word) fits?
Wissenswertes	here: Cultural information

▥ Grammatikalische Fachbegriffe

▥ Grammar terms

das **Adjektiv**, -e	adjective
der **Akkusativ**	accusative
der **Artikel**, -	article
der **Aussagesatz**, ⁏e	statement
bestimmt	definite
bestimmter Artikel	definite article
der **Dativ**	dative
die **Deklination**, -en	declension
das **Demonstrativpronomen**, -	demonstrative pronoun
der **Diphthong**, -e	diphthong
die **Endung**, -en	ending
die **Ergänzung**, -en	phrase, prepositional phrase
der **Fall**, ⁏e	case (accusative etc.)
feminin	feminine
der **Fragesatz**, ⁏e	interrogative sentence, question
das **Fragewort**, ⁏er	interrogative, question word
die **Gegenwart**	present tense
der **Genus**, die **Genera**	gender

▦ Instructions

▦ Instrucciones

Faites attention à (la conjugaison.)	Preste atención (a la conjugación).
Répondez.	Responda.
Racontez.	Informe Vd.
Composez des phrases/questions.	Construya frases/Formule preguntas.
Discutez en petits groupes.	Discutan en grupos pequeños.
Remplissez (les vides).	Complete (los espacios en blanco).
Demandez à votre voisine/voisin.	Pregunte a su vecina/a su vecino.
Ecoutez.	Escuche.
Cochez la bonne réponse.	Señale (la respuesta correcta).
Lisez (le texte).	Lea (el texto).
Lisez le dialogue en vous répartissant les rôles.	Lea el diálogo con repartición de papeles.
Indiquez : vrai ou faux ?	Marque la respuesta: ¿correcto o falso?
Prenez des notes.	Anote.
Classez les mots.	Establezca la correspondencia.
Réagissez.	Reorganice.
Ecrivez un petit texte.	Escriba un texto corto.
Faites des (petits) dialogues.	Represente el diálogo.
Répétez les expressions.	Repita las expresiones.
Soulignez (les terminaisons).	Subraye (las expresiones).
Auto-évaluez-vous.	Compruébelo usted mismo.
Traduisez (les expressions) dans votre langue maternelle.	Traduzca las expresiones a su lengua materna.
Reliez (les synonymes/antonymes).	Relacione (antónimos/sinónimos).
Quel est le mot correct ?	¿Cuál es la/el adecuada/o?
ici : Informations culturelles	aquí: Información cultural

▦ Termes grammaticaux

▦ Conceptos gramaticales

adjectif	el adjetivo, -s
accusatif	el acusatvo, -s
article	el artículo, -s
phrase affirmative	la oración enunciativa, -es
défini	determinado
article défini	el artículo determinado
datif	el dativo, -s
déclinaison	la declinación, -es
pronom démonstratif	el pronombre demostrativo, -s
diphtongue	el diptongo, -s
terminaison	la terminación, -es
complément	el complemento, -s
cas (accusatif etc.)	el caso, -s
féminin	femenino
phrase interrogative	la oración interrogativa, -s
pronom interrogatif	palabra interrogativa, -s
présent	el presente, -s
genre	el género, -s

Grammatikalische Fachbegriffe	Grammar terms
die **Grammatik**, -en	grammar
das **Grundwort**, ¨er	non-compound word
das **Hilfsverb**, -en	auxiliary verb
die **Höflichkeitsform**, -en (Sie)	formal word for you (Sie)
der **Imperativ**, -e	imperative
der **Infinitiv**, -e	infinitive
der **Kasus**, -	case (accusative etc.)
die **Komparation**, -en	comparison
der **Komparativ**, -e	comparative
das **Kompositum**, die Komposita	compound word
konjugieren	to conjugate
die **Konjugation**, -en	conjugation
die **Konjunktion**, -en	conjunction
die **Lokalangabe**, -n	prepositional phrase indicating a location
maskulin	masculine
das **Modalverb**, -en	modal verb
die **Negation**, -en	negation
negativ	negative
der negative Artikel (kein)	negative article (kein)
neutral	neuter
das **Nomen**, -	noun
der **Nominativ**, -e	nominative
die **Ortsangabe**, -n	prepositional phrase indicating a location
das **Partizip**, -ien	participle
das **Perfekt**	perfect tense
das **Personalpronomen**, -	personal pronoun
die **Phonetik**	phonetics
der **Plural**	plural
der **Possessivartikel**, -	possessive article
das **Präfix**, -e	prefix
die **Präposition**, -en	preposition
lokale/temporale Präposition	preposition of place/time
das **Präsens**	present tense
das **Präteritum**	preterite tense
das **Pronomen**, -	pronoun
regelmäßig	regular
regelmäßiges Verb	regular verb
die **Richtungsangabe**, -n	prepositional phrase indicating a direction
der **Satz**, ¨e	sentence
der **Satzbau**	sentence structure, syntax
die **Satzklammer**, -n	syntactic frame
die **Satzmelodie**, -n	sentence intonation
die **Satzverbindung**, -en	compound sentence
der **Singular**	singular
die **Sonderform**, -en	exception
das **Substantiv**, -e	substantive
die **Temporalangabe**, -n	prepositional phrase indicating time
trennbar	separable

Termes grammaticaux	Conceptos gramaticales
grammaire	la gramática, -s
mot simple, non composé	la raíz, -ces
(verbe) auxiliaire	el verbo auxiliar, -s
forme de politesse (Sie)	la forma de cortesía, -s
impératif	el imperativo, -s
infinitif	el infinitivo, -s
cas (accusatif etc.)	el caso, -s
comparaison	la comparación, -es
comparatif	el comparativo, -s
mot composé	el compuesto, -s
conjuguer	conjugar
conjugaison	la conjugación, -es
conjonction	la conjunción, -es
complément de lieu	la indicación local, -es
masculin	masculino
verbe modal	el verbo modal, -s
négation	la negación, -es
négatif	negativo
article négatif (kein)	el artículo negativo
neutre	neutro
nom	el nombre, -s
nominatif	el nominativo, -s
complément de lieu	la indicación de lugar, -es
participe	el participio, -s
parfait	el pretérito perfecto
pronom personnel	el pronombre personal, -s
phonétique	la fonética
pluriel	el plural
article possessif	el artículo posesivo, -s
préfixe	el prefijo, -s
préposition	la preposición, -es
préposition de lieu/de temps	preposición local/temporal
présent	el presente
prétérit	el pretérito
pronom	el pronombre, -s
régulier	regular
verbe régulier	Verbo regular
complément de direction	la indicación de dirección, -ses
phrase	la frase, -s
structure de la phrase	la construcción de la oración, -es
parenthèse syntaxique	la delimitación de la oración, -es
intonation	la prosodia, -s
phrase composée	la conjunción, -es
singulier	el singular, -es
exception, forme particulière	la forma especial, -s
substantif	el sustantivo, -s
complément de temps	la indicación de tiempo, -es
séparable	separable

Grammatikalische Fachbegriffe	Grammar terms
trennbares Präfix	separable prefix
der **Umlaut**, -e	umlaut
unbestimmt	indefinite
unbestimmter Artikel	indefinite article
unregelmäßig	irregular
unregelmäßiges Verb	irregular verb
untrennbar	inseparable
untrennbares Präfix	inseparable prefix
das **Verb**, -en	verb
die **Vergangenheit**	past tense
die **Vergangenheitsform**, -en	past tense of the verb
der **Vokalwechsel**, -	change of vowel, vowel inflection
die **Wechselpräposition**, -en	preposition with dative or accusative
der **Wortakzent**, -e	word accent
die **Zeitangabe**, -n	prepositional phrase indicating time
die **Zeitform**, -en	tense of the verb
zusammengesetztes Wort	compound word

▓ Kapitel 1: Teile A, C und D

▓ Chapter 1: Parts A, C and D

der **Abend**, -e	evening
Guten Abend!	Good evening.
der **Abenteuerroman**, -e	adventure novel
acht	eight
achten [er achtet]	watch, pay attention to
Achtung!	Attention!
die **Adresse**, -n	address
Algerien	Algeria
alle	all
alle Kinder	all children
allgemein	general
das **Alphabet**	alphabet
als	as
Sie arbeitet als Lehrerin.	She works as a teacher.
alt	old
Ich bin 45 Jahre alt.	I am 45 years old.
das **Alter**, -	age
ander-	other
andere Länder	other countries
die **Angabe**, -n	data
die **Antwort**, -en	answer
antworten [er antwortet]	to answer
Arabisch	Arab
arbeiten [er arbeitet]	to work
der **Architekt**, -e	architect (m)
die **Architektin**, -nen	architect (f)
der **Arzt**, ⸚e	doctor (m)
die **Ärztin**, -nen	doctor (f)

Termes grammaticaux	Conceptos gramaticales
préfixe séparable	prefijo separable
umlaut	la diéresis, -
indéfini	indeterminado
article indéfini	el artículo indeterminado
irrégulier	irregular
verbe irrégulier	el verbo irregular
inséparable	no separable
préfixe inséparable	el prefijo no separable
verbe	el verbo, -s
passé	el pasado
passé du verbe	la forma de pasado, -s
changement de voyelle	el cambio de vocal, -s
préposition avec le datif ou l'accusatif	la preposición con dativo o acusativo
accent tonique	la acentuación, -es
complément de temps	la indicación de tiempo, -es
temps du verbe	la forma temporal, -s
mot composé	palabras compuestas

▦ Chapitre 1 : Partie A, C et D　　　▦ Capítulo 1: Partes A,C y D

soir	la tarde, -s
Bonsoir.	¡Buenas tardes!
roman d'aventure	la novela de aventuras
huit	ocho
faire attention	prestar atención
Attention !	¡Atención!
adresse	la dirección
Algérie	Argelia
tous	todos
tous les enfants	todos los niños
général	general
alphabet	el alfabeto
comme	como, de
Elle travaille comme enseignante.	Ella trabaja de maestra.
vieux, âgé	viejo/edad
J'ai 45 ans.	Tengo 45 años.
âge	la edad
autre	otro
d'autres pays	otros países
donnée	la indicación, -es
réponse	la respuesta, -s
répondre	responder
arabe	árabe
travailler	trabajar
architecte (m)	el arquitecto, -s
architecte (f)	la arquitecto, -s
médecin (m)	el médico, -s
médecin (f)	la médico, -s

der **Assistent**, -en	assistant (m)
die **Assistentin**, -nen	assistant (f)
auch	also, as well
auf	on
Hören Sie die Lösung auf der CD.	Listen to the answers on the CD.
die **Aufgabe**, -n	exercise
aus	from
Ich komme aus Marburg.	I come from Marburg.
die **Auskunft**, ⸚e	information
das **Auto**, -s	car
das **Autokennzeichen**, -	licence plate, registration plate
der **Basketball**	basketball
beantworten [er beantwortet]	to answer
eine Frage beantworten	to answer a question
die **Begegnung**, -en	encounter
begrüßen	to greet
bei	here: for (company)
Er arbeitet bei Siemens.	He works for Siemens.
das **Beispiel**, -e	example
Belgien	Belgium
berichten [er berichtet]	to tell, to report
der **Beruf**, -e	occupation, profession
besonder-	special
besondere Buchstaben	special characters
die **Betriebswirtschaft**	business management
bilden [er bildet]	to compose, to build
Bilden Sie Sätze.	Build sentences.
die **Biographie**, -n	biography
bis	until
(ein) **bisschen**	a bit
Ich spreche ein bisschen Deutsch.	I speak a bit of German.
das **Bowling**	bowling
Brasilien	Brasil
die **Briefmarke**, -n	stamp
der **Bruder**, ⸚	brother
das **Buch**, ⸚er	book
der **Buchstabe**, -n	letter
buchstabieren	to spell
die **Chemie**	chemistry
der **Chemiker**, -	chemist (m)
die **Chemikerin**, -nen	chemist (f)
Chile	Chile
China	China
Chinesisch	Chinese
der **Chor**, ⸚e	chorus, choir
die **CD**, -s	CD
das **Computerprogramm**, -e	computer programme
Dänemark	Denmark

Chapitre 1   Capítulo 1

assistant	el asistente, -s
assistante	la asistente, -s
aussi	también
sur	sobre, en
Ecoutez la solution sur le cd.	Escuchen la solución del CD.
devoir	el ejercicio, -s
de	de, fuera
Je viens de Marburg.	Vengo de Marburg.
information	la información, la referencia, -s
voiture	el coche, -s
numéro d'immatriculation	la matrícula, -s
basket (sport)	el baloncesto
répondre	responder
répondre à une question	responder una pregunta
rencontre	el encuentro, -s
saluer	saludar
chez	en, por
Il travaille chez Siemens.	Trabaja en Siemens.
exemple	el ejemplo, -s
Belgique	Bélgica
raconter	informar
profession, activité professionnelle	la profesión, -es
spécial	especial
caractères spéciaux	caracteres especiales
gestion des affaires	empresariales
composer	construir
Composez des phrases.	Construya frases.
biographie	la biografía, -s
jusqu'à	hasta
un peu	(un) poco
Je parle un peu allemand.	Hablo un poco de alemán.
bowling	los bolos
Brésil	Brasil
timbre	el sello, -s
frère	el hermano, -s
livre	el libro, -s
lettre	la letra, -s
épeler (un mot)	deletrear
chimie	la química
chimiste (m)	el químico, -s
chimiste (f)	la químico, -s
Chili	Chile
Chine	China
chinois	chino
choeur	el coro, -s
cd	el CD, -s
logiciel	el programa de ordenador, -s
Danemark	Dinamarca

Dänisch	Danish
dein (m, n)/**deine** (f, Pl.)	your (informal, sg)
dein Freund/deine Freundin	your male friend/your female friend
Deutsch	German
Deutschland	Germany
der **Dialog**, -e	dialogue
dieser (m)/**diese** (f, Pl.)/**dieses** (n)	this, these
dort	there
drei	three
dreißig	thirty
du	you (informal, sg)
der **Ehepartner**, -	spouse (m)
die **Ehepartnerin**, -nen	spouse (f)
ein (m, n)/**eine** (f)	a, an
ein Freund/eine Freundin	a male friend/a female friend
einfach	simple, easy
einige	a few
einige Frauen	a few women
eins	one
der **Einwohner**, -	inhabitant (m)
die **Einwohnerin**, -nen	inhabitant (f)
die **Elektronik**	electronics
der **Elektronikingenieur**, -e	electronics engineer
elf	eleven
die **Eltern** (Pl.)	parents
die **E-Mail**, -s	email
die **Endung**, -en	ending of a word
England	England
Englisch	English
er	he
ergänzen	to complete
die **Evaluation**, -en	evaluation
die **Familie**, -n	family
der **Familienstand**	marital status, family status
der **Familienname**, -n	family name
fast	almost
die **Feuerwehr** (Sg.)	fire department
finden [er findet]	to find
folgend-	following
Hören Sie die folgenden Zahlen.	Listen to the following numbers.
das **Flugzeug**, -e	airplane
die **Form**, -en	form
formell	formal
die **Frage**, -n	question
fragen	to ask a question/someone
Frankreich	France
die **Frau**, -en	woman, wife, Mrs.
Frau Schmidt	Mrs. Schmidt

Chapitre 1   Capítulo 1

Chapitre 1	Capítulo 1
danois	danés
ton, ta, tes	tu (masc, fem), tus (pl)
ton ami/ton amie	tu amigo, tu amiga
allemand	alemán
Allemagne	Alemania
dialogue	el diálogo
celui-ci, celle-ci, ceux-ci, celles-ci	éste, ésta, éste (pronombres)
là-bas	allí
trois	tres
trente	treinta
tu, toi	tú
époux	el cónyuge
épouse	la cónyuge
un, une	un (masc), una (fem)
un ami/une amie	un amigo, una amiga
simple	sencillo
quelques	algunos, -as
quelques femmes	algunas mujeres
un	uno, una
habitant (m)	el habitante, -s
habitant (f)	la habitante, -s
électronique	la electrónica
ingéneur électronicien	el ingeniero de electrónica, -s
onze	once
parents	los padres (pl)
courriel	el correo electrónico, -s
terminaison	la terminación, -es
Angleterre	Inglaterra
anglais	inglés
il	él
compléter	completar
évaluation	la evaluación, -es
famille	la familia, -s
état civil	el estado familiar
nom de famille	el nombre de familia, -s
presque	casi
pompiers	los bomberos
trouver	encontrar
suivant	siguiente
Ecoutez les nombres suivants.	Escuche los números siguientes.
avion	el avión, -es
forme	la forma, -s
formel	formal
question	la pregunta, -s
poser une question, demander	preguntar
France	Francia
femme, Mme	la mujer, -s
Madame Schmidt	la señora Schmidt

Deutsch	English
Das ist meine Frau.	This is my wife.
Das ist eine Frau.	This is a woman.
Französisch	French
der **Freund**, -e	friend (m)
die **Freundin**, -nen	friend (f)
der **Fußball**	football
fünf	five
der **Gebrauch**, ⸚e	use, usage
das **Gedicht**, -e	poem
gern(e)	to like doing sth (adv)
Ich lese gern(e) Romane.	I like reading novels.
der **Geschichtsroman**, -e	historical novel
geschieden	divorced
die **Geschwister** (Pl.)	siblings
die **Gitarre**, -n	guitar
Griechenland	Greece
Griechisch	Greek
Großbritannien	Great Britain
grüßen	to greet
gut	good, well
haben [er hat]	to have
Er hat viele Hobbys.	He has many hobbies.
Hallo!	Hello! Hi!
die **Handynummer**, -n	mobile phone number
die **Hauptstadt**, ⸚e	capital city
die **Heimatstadt**, ⸚e	home town
heißen	to be called
Wie heißen Sie?	What is your name?
Wie heißen die Fragewörter?	here: Which question words match?
der **Herr**, -en	Mr., gentleman
Herr Meyer	Mr. Meyer
das **Hobby**, -s	hobby
das **Hockey**	hockey
hören	to hear, to listen to
hundert	hundred
ich	I
ihr (m, n)/**ihre** (f, Pl.)	her
ihr Freund/ihre Freundin	her male friend/her female friend
Ihr (m, n)/**Ihre** (f, Pl.)	your (formal)
Ihr Freund/Ihre Freundin	your male friend/your female friend
ihr	you (informal, pl)
in	in
Ich wohne in London.	I live in London.
Indien	India
die **Informatik**	computer science
der **Informatiker**, -	computer scientist (m)
die **Informatikerin**, -nen	computer scientist (f)
die **Information**, -en	information

Chapitre 1

Capítulo 1

C'est ma femme.	Es mi mujer.
C'est une femme.	Es una mujer.
français	francés
ami	el amigo, -s
amie	la amiga, -s
football	el fútbol
cinq	cinco
utilisation, usage	el uso, -s
poème	el poema, -s
avec plaisir	con agrado, con gusto
J'aime lire des romans.	Me gusta leer novelas.
roman historique	la novela histórica, -s
divorcé	divorciado
frères et soeurs	los hermanos
guitarre	la guitarra, -s
Grèce	Grecia
grec	griego
Grande-Bretagne	Gran Bretaña
saluer	saludar
bon, bien	bien, bueno
avoir	tener
Il a beacoup de loisirs.	Tiene muchos hobbys.
Salut !	¡Hola!
numéro de téléphone portable	el número de teléfono móvil, -s
capitale	la capital, -es
ville d'origine	la ciudad de origen, -es
s'appeler	llamar, significar
Comment vous appelez-vous ?	¿Cómo se llama usted?
Quels sont les correctes pronoms interrogatifs ?	¿Qué significan las palabras interrogativas?
monsieur	el señor, -es
Monsieur Meyer	el señor Meyer
loisir	el hobby, -s
hockey	el hockey
écouter, entendre	oír
cent	cien
je	yo
son, sa, ses	su (masc, fem), sus (pl)
son ami/son amie	su amigo, su amiga
votre, vos (formel)	su (masc, fem), sus (pl)
votre ami/votre amie	su amigo, su amiga
vous (informel, pl)	vosotros
à	en
J'habite à Londres.	Vivo en Londres.
Inde	India
informatique	la informática
informaticien	el informático, -s
informaticienne	la informático, -s
information	la información, -es

informell	informal
der **Ingenieur**, -e	engineer (m)
die **Ingenieurin**, -nen	engineer (f)
das **Ingenieurwesen**	engineering
Irland	Ireland
Italien	Italy
Italienisch	Italian
ja	yes
das **Jahr**, -e	year
Japan	Japan
Japanisch	Japanese
die **Jazz-Musik**	jazz
der **Journalist**, -en	journalist (m)
die **Journalistin**, -nen	journalist (f)
Jura (Pl.)	law
Ich studiere Jura.	I study law.
der **Jurist**, -en	lawyer, legal expert (m)
die **Juristin**, -nen	lawyer, legal expert (f)
Kanada	Canada
(ich) **kann**	(I) can
das **Kapitel**, -	chapter
kein (m, n)/**keine** (f, Pl.)	no, not any
kein Freund/keine Freundin	no male friend/no female friend
der **Kellner**, -	waiter
die **Kellnerin**, -nen	waitress
kennen	to know
das **Kennzeichen**, -	here: license plate, registration plate
das **Kind**, -er	child
klein	little, small
der **Koch**, ̈e	cook
das **Kochbuch**, ̈er	cookbook
kombinieren	to combine
kommen	to come
der **Kommissar**, -e	inspector (m)
die **Kommissarin**, -nen	inspector (f)
die **Kommunikation**	communication
die **Korrektur**, -en	correction
der **Kriminalkommissar**, -e	police inspector
der **Kriminalroman**, -e	crime novel
kurz	short
das **Land**, ̈er	country
landen [er landet]	to land
Das Flugzeug landet.	The airplane is landing.
laut	loud, noisy
ledig	single, unmarried
der **Lehrer**, -	teacher (m)
die **Lehrerin**, -nen	teacher (f)
leider	unfortunately

informel	informal
ingénieur (m)	el ingeniero,-s
ingénieur (f)	la ingeniero, -s
sciences de l'ingénieur	la ingeniería
Irlande	Irlanda
Italie	Italia
italien	italiano
oui	sí
année, an	el año, -s
Japon	Japón
japonais	japonés
jazz	la música de Jazz
journaliste (m)	el periodista, -s
journaliste (f)	la periodista, -s
droit	derecho
J'étudie le droit.	estudio derecho
juriste (m)	el jurista, -s
juriste (f)	la jurista, -s
Canada	Canadá
je peux	puedo, sé
chapitre	el capítulo
aucun, aucune, aucuns, aucunes	ningún, ninguno (masc)/ninguna (fem)
aucun ami/aucune amie	ningún amigo/ninguna amiga
serveur	el camarero, -s
serveuse	la camarera, -s
connaître	conocer
ici : numéro d'immatriculation	la marca, la característica, -s
enfant	el niño, -s
petit	pequeño
cuisinier	el cocinero, -s
livre de cuisine	el libro de cocina, -s
combiner	combinar
venir	venir
inspecteur (m)	el comisario, -s
inspecteur (f)	la comisario, -s
communication	la comunicación
correction	la corrección, -es
inspecteur de police	la policía judicial
roman policier	la novela negra, -s
court	corto
pays	el país, -es
atterrir	aterrizar
L'avion atterrit.	El avión aterriza.
à haute voix	ruidoso, (sonido) fuerte, potente
célibataire	soltero
professeur, enseignant	el maestro, -s
professeur, enseignante	la maestra, -s
malheureusement	desgraciadamente, lamentablemente

die **Lektüre**, -n	reading
lernen	to learn
lesen [er liest]	to read
die **Leute** (Pl.)	people
lieber	rather, to prefer to do sth (adv)
Ich spiele lieber Tennis.	I'd rather play tennis. I prefer to play tennis.
der **Liebesroman**, -e	romance novel
die **Lösung**, -en	solution
die **Lücke**, -n	blank (noun)
machen	to make, to do
der **Maler**, -	painter (m)
die **Malerin**, -nen	painter (f)
die **Malerei**	art of painting
der **Manager**, -	manager (m)
die **Managerin**, -nen	manager (f)
der **Mann**, ¨er	man, husband
Das ist ein Mann.	This is a man.
Das ist mein Mann.	This is my husband.
markieren	to mark
der **Mathematiker**, -	mathematician (m)
die **Mathematikerin**, -nen	mathematician (f)
die **Mathematikstunde**, -n	mathematics lesson
der **Mechaniker**, -	mechanic, repairman (m)
die **Mechanikerin**, -nen	mechanic, repairman (f)
die **Medizin**	medicine, medical science
mein (m, n)/**meine** (f, Pl.)	my
mein Freund/meine Freundin	my male friend/my female friend
Mexiko	Mexico
minus	minus
drei minus zwei	three minus two
die **Minute**, -n	minute
mit	with
der **Morgen**, -	morning
Guten Morgen!	Good morning.
die **Musik**	music
der **Musiker**, -	musician (m)
die **Musikerin**, -nen	musician (f)
die **Mutter**, ¨	mother
die **Muttersprache**, -n	mother tongue
der **Nachbar**, -n	neighbour (m)
die **Nachbarin**, -nen	neighbour (f)
nachsprechen [er spricht nach]	to repeat sth after sb
Sprechen Sie die Wendungen nach.	Repeat the expressions.
der **Name**, -n	name
nein	no
nennen	to name, to call
neun	nine
die **Niederlande** (Pl.)	Netherlands

lecture	la lectura
apprendre	aprender
lire	leer, él lee
gens	la gente
plutôt, préférer	preferible, mejor
Je préfère jouer au tennis.	Prefiero jugar a tenis.
roman d'amour	la novela de amor, -s
solution	la solución, -es
vide (dans un texte à compléter)	el agujero, el hueco, -s
faire	hacer
peintre (m)	el pintor, -es
peintre (f)	la pintora, -s
peinture (art)	la pintura
manager, gestionnaire (m)	el mánager, -s
manager, gestionnaire (f)	la mánager, -s
homme, mari	el hombre, -s
C'est un homme.	Es un hombre.
C'est mon mari.	Es mi marido.
marquer, indiquer	marcar
mathématicien	el matemático, -s
mathématicienne	la matemático, -s
cours de mathématiques	la clase de matemáticas, -s
mécanicien	el mecánico, -s
mécanicienne	la mecánico, -s
médecine	la medicina
mon, ma, mes	mi (masc, fem), mis (pl)
mon ami/mon amie	mi amigo, mi amiga
Méxique	Méjico
moins	menos
trois moins deux	tres menos dos
minute	el minuto, -s
avec	con
matin	la mañana, -s
Bonjour.	¡Buenos días!
musique	la música
musicien	el músico, -s
musicienne	la músico, -s
mère	la madre, -s
langue maternelle	la lengua materna, -s
voisin	el vecino, -s
voisine	la vecina, -s
répéter qqch après qqn	repetir
Répétez les expressions.	Repita las expresiones.
nom	el nombre
non	no
nommer	nombrar
neuf	nueve
Pays-Bays	Holanda, los Países Bajos

Kapitel 1

Chapter 1

nicht	not
der **Notarzt**, ⸚e	emergency doctor
notieren	to note
null	zero
die **Nummer**, -n	number
nur	only
oder	or
Österreich	Austria
passen	to match
Welche Berufe passen?	here: Find the matching professions.
die **Person**, -en	person
der **Philosoph**, -en	philosopher (m)
die **Philosophin**, -nen	philosopher (f)
die **Philosophie**, -n	philosophy
die **Physik**	physics
der **Physiker**, -	physicist (m)
die **Physikerin**, -nen	physicist (f)
plus	plus
Polen	Poland
die **Polizei**, -en	police
Polnisch	Polish
die **Popmusik**	pop music
Portugal	Portugal
Portugiesisch	Portuguese
die **Position**, -en	position
rechnen [er rechnet]	to count
das **Redemittel**, -	expression to use (in a dialogue)
richtig	correct, right
der **Roman**, -e	novel
der **Rückblick**, -e	revision (lit.: flashback)
Rumänien	Rumania
Rumänisch	Rumanian
Russland	Russia
Russisch	Russian
sagen	to say
sammeln [ich sammle, er sammelt]	to collect
der **Satz**, ⸚e	sentence
schon	already
schreiben	to write
Schweden	Sweden
Schwedisch	Swedish
die **Schweiz**	Switzerland
die **Schwester**, -n	sister
sechs	six
sehr	very
sein (m, n)/**seine** (f, Pl.)	his
sein Freund/seine Freundin	his male friend/his female friend

Chapitre 1

Capítulo 1

ne … pas	no (negación verbal)
médecin d'urgence	el médico de urgencias, -s
noter	anotar
zéro	cero, nulo
numéro	el número, -s
ne … que, seulement	sólo
ou	o
Autriche	Austria
correspondre, convenir	adaptar, combinar, ajustarse
ici : Reliez les professions avec leur image.	aquí: Señale las profesiones correspondientes
personne, homme	la persona, -s
philosophe (m)	el filósofo, -s
philosophe (f)	la filósofa, -s
philosophie	la filosofía, -s
physique	la física
physicien	el físico, -s
physicienne	la físico, -s
plus	además, plus
Pologne	Polonia
police	la policía, -s
polonais	polaco
musique pop	la música pop
Portugal	Portugal
portugais	portugués
position	la posición, -es
compter	contar
expression à utiliser, phrase modèle	expresiones (comunes) de conversación
correct, juste	correcto
roman	la novela, -s
révision, résumé	la retrospectiva, -s
Roumanie	Rumanía
roumain	rumano
Russie	Rusia
russe	ruso
dire	decir
collectionner	coleccionar
phrase	la frase, -s
déjà	claro, por supuesto, ya
écrire	escribir
Suède	Suecia
suédois	sueco
Suisse	Suiza
soeur	la hermana, -s
six	seis
beaucoup, très	mucho, bastante
son, sa, ses	su (masc, fem), sus (plural)
son ami/son amie	su amigo, su amiga

sein [er ist]	to be
Er ist 16.	He is 16 years old.
Ich bin Ingenieur.	I am an engineer.
Wir sind aus Deutschland.	We are from Germany.
der **Sekretär**, -e	secretary (m)
die **Sekretärin**, -nen	secretary (f)
selbst	self
ich selbst, er selbst usw.	myself, himself etc.
sie	she, they
Sie	you (formal)
sieben	seven
singen	to sing
Slowenien	Slovenia
Slowenisch	Slovene
so	so
Ich spiele nicht so gut Tennis.	I do not play tennis so well.
der **Sohn**, ̈-e	son
Spanien	Spain
Spanisch	Spanish
später	later
spielen	to play
Fußball spielen	to play football
Gitarre spielen	to play the guitar
Dialoge spielen	to play dialogues
der **Sport**	sport
die **Sprache**, -n	language
sprechen [er spricht]	to speak
die **Stadt**, ̈-e	city, town
stehen	to stand
stellen	to put
eine Frage stellen	to ask a question
der **Student**, -en	student (m)
die **Studentin**, -nen	student (f)
studieren	to study (at the university)
der **Tag**, -e	day
Guten Tag!	Good day. (greeting)
die **Tätigkeit**, -en	activity
der **Taxifahrer**, -	taxi driver (m)
die **Taxifahrerin**, -nen	taxi driver (f)
tausend	thousand
der **Teil**, -e	part, section
die **Telefonnummer**, -n	telephone number
das **Tennis**	tennis
der **Text**, -e	text
das **Thema**, die Themen	subject, topic
das **Tischtennis**	table tennis
die **Tochter**, ̈-	daughter
die **Trompete**, -n	trumpet

Chapitre 1

Capítulo 1

être	ser, estar
Il a 16 ans.	Él tiene 16.
Je suis ingénieur.	Soy ingeniero.
Nous venons d'Allemagne.	Venimos de Alemania.
secrétaire (m)	el secretario, -s
secrétaire (f)	la secretaria, -s
même	mismo
moi-même, lui-même etc.	yo mismo, él mismo
elle, ils, elles	ella
vous (formel)	usted
sept	siete
chanter	cantar
Slovénie	Eslovenia
slovène	esloveno
si … que ça, tellement	tan, así
Je ne joue pas si bien que ça au tennis.	No juego tan bien al tenis.
fils	el hijo, -s
Espagne	España
espagnol	español
plus tard	más tarde
jouer	jugar, tocar, interpretar
jouer au football	jugar a fútbol
jouer à la guitarre	tocar la guitarra
faire des dialogues	interpretar diálogos
sport	el deporte
langue	la lengua, el idioma, -s
parler	hablar
ville	la ciudad, -es
être debout	estar de pie, estar
poser	poner, colocar
poser une question	formular una pregunta
étudiant	el estudiante, -s
étudiante	la estudiante, -s
étudier, faire des études	estudiar
jour	el día, -s
Bonjour.	¡Buen día!
activité	la actividad, -es
chauffeur de taxi (m)	el taxista, -s
chauffeur de taxi (f)	la taxista, -s
mille	mil
partie, section	la parte, -s
numéro de téléphone	el número de teléfono, -s
tennis	el tenis
texte	el texto, -s
thème, sujet	el tema, -s
tennis de table	el tenis de mesa, el ping-pong
fille (de qqn)	la hija, -s
trompette	la trompeta, -s

Tschechien	Czechia
Tschechisch	Czech
Tunesien	Tunisia
die **Türkei**	Turkey
Türkisch	Turkish
über	about, on
Informationen über Länder	information about countries
überprüfen	to check
Überprüfen Sie sich selbst.	Check yourself.
übersetzen	to translate
die **Übung**, -en	exercise
die **Ukraine**	Ukraine
Ukrainisch	Ukranian
unbekannt	unknown
und	and
Ungarisch	Hungarian
Ungarn	Hungary
die **Universität**, -en	university
die **USA** (Pl.)	USA
der **Vater**, ⸚	father
verheiratet	married
verstehen	to understand
vier	four
der **Volleyball**	volleyball
von	of
Was sind Sie von Beruf?	What is your profession?
Das ist der Bruder von Marie.	This is Mary's brother (the brother of Mary).
der **Vorname**, -n	first name
vorstellen	to introduce
sich vorstellen (reflexiv)	to introduce oneself (reflexive)
andere Menschen vorstellen	to introduce other people
was?	what?
welcher? (m)/**welche?** (f, Pl.)/**welches?** (n)	which?
Welche Sprachen sprechen Sie?	Which languages do you speak?
die **Wendung**, -en	expression, idiomatic expression
wichtig	important
wie?	how?
Wie ist Ihre Telefonnummer?	What is your telephone number?
Wie alt sind Sie?	How old are you?
wie viel?	how much?
wiederholen	to repeat
Wien	Vienna
wir	we
wo?	where?
woher?	from where?
wohnen	to live
der **Wohnort**, -e	place of residence
das **Wort**, ⸚er	word

Tchéquie	Chequia
tchèque	checo
Tunisie	Túnez
Turquie	Turquía
turc	turco
sur	sobre, acerca de
informations sur des pays	información acerca de los países
évaluer	corregir, comprobar
Autoévaluez-vous.	Corríjase usted mismo.
traduire	traducir
exercice	el ejercicio, -s
Ukraine	Ucrania
ukranien	ucraniano
inconnu	desconocido
et	y
hongrois	húngaro
Hongrie	Hungría
université	la universidad, -es
Etats-Unis	los EE.UU.
père	el padre, -s
marié	casado
comprendre	entender, comprender
quatre	cuatro
volleyball	el volley
de	de
Quelle est votre profession ?	¿Cuál es su profesión?
C'est le frère de Marie.	Es el hermano de María.
prénom	el nombre de pila, -s
présenter	presentar
se présenter (réflexif)	presentarse
présenter d'autres personnes	presentar a otras personas
quoi ?	¿qué?
quel ? quelle ? quels ? quelles ?	¿cuál? ¿cuáles?/ ¿qué?/¿cuál?
Quelles langues parlez-vous ?	¿qué lenguas habla?
expression (idiomatique)	el giro, -s, la expresión, -es
important	importante
comment ?	¿cómo?
Quel est votre numéro de téléphone ?	¿Cuál es su número de teléfono?
Quel âge avez-vous ?	¿Qué edad tiene?
combien ?	¿cuánto?, ¿cuántos?
répéter	repetir
Vienne	Viena
nous	nosotros
où ?	¿dónde?
d'où ?	¿de dónde?
habiter	habitar, vivir
domicile	el domicilio, -s
mot	la palabra, -s

Kapitel 1

der **Wortschatz**	vocabulary
das **Wörterbuch**, ⸚er	dictionary
die **Zahl**, -en	number
zählen	to count
zehn	ten
zu	on, about
Fragen zur Person	questions on personal data
zuordnen [er ordnet zu]	to classify
Ordnen Sie zu.	Classify the words.
zwanzig	twenty
zwei	two
zwölf	twelve

▦ Kapitel 1: Teil B

▦ Chapter 1: Part B

die **Alpen** (Pl.)	Alps
die **Amtssprache**, -n	official language
bevölkerungsreich	densely populated
das **Bundesland**, ⸚er (in Deutschland und in Österreich)	region (only in Germany and in Austria)
denken	to think
die **Deutschlandkarte**, -n	map of Germany
diskutieren	to discuss
fakultativ	optional, facultative
für	for, to
glauben	to believe
heute	today
der **Kanton**, -e (in der Schweiz)	canton (in Switzerland)
Kroatisch	Croatian
die **Kurzinformation**, -en	short information
leben	to live
meist-	most
die meisten Menschen	most people
der **Mensch**, -en	person, human being
die **Milliarde**, -n	billion
die **Million**, -en	million
die **Millionenstadt**, ⸚e	city with over a million inhabitants
der **Nationalstaat**, -en	nation-state
offiziell	official
ohne	without
optional	optional
das **Prozent**, -e	per cent
das **Quiz**, -	quiz
Rätoromanisch	Rhaeto-Romanic
die **Regionalsprache**, -n	regional language
die **Republik**, -en	republic
seit (1871)	since (1871)
die **Statistik**, -en	statistics
über (800 Jahre)	over (800 years)

Chapitre 1	Capítulo 1
vocabulaire	el vocabulario, -s
dictionnaire	el diccionario, -s
nombre, numéro	el número, la cifra, -s
compter	contar
dix	diez
sur	a, sobre
questions sur la personne	preguntas sobre la persona
classer	relacionar, clasificar
Classez (les mots).	relacione
vingt	veinte
deux	dos
douze	doce

▪ Chapitre 1 : Partie B | ## ▪ Capítulo 1: Parte B

Chapitre 1 : Partie B	Capítulo 1: Parte B
Alpes	los Alpes
langue officielle	el idioma oficial, -s
d'une population dense	muy poblado
région (en Allemagne et en Autriche)	el estado federal, -s (sólo en Alemania y Austria)
penser	pensar
carte d'Allemagne	el mapa de Alemania, -s
discuter	discutir
facultatif	opcional, facultativo
pour	para
croire	creer
aujourd'hui	hoy
canton (en Suisse)	el cantón, -es
croate	croata
information brève	información breve
vivre	vivir
la plupart	mayoría
la plupart des gens	la mayoría de la gente
homme, personne	el ser humano, el hombre, -s
millard	mil millones, -es
million	el millón, -es
ville de plus d'un million d'habitants	la ciudad de más de un millón de habitantes, -s
état-nation	el estado nacional, -s
officiel	oficial
sans	sin
optionel, facultatif	opcional
pourcent	el porcentaje, -s
quiz	el concurso de preguntas y respuestas, -os
rhéto-roman	retorrománico
langue régionale	la lengua regional, -s
république	la república, -s
depuis (1871)	desde (1871)
statistique	la estadística, -s
plus de (800 ans)	más (de 800 años)

vielleicht	maybe, perhaps
wahrscheinlich	likely
die **Welt**, -en	world
die **Wiedervereinigung** (von Deutschland)	reunification (of Germany)
wie viele?	how many?
wissen [er weiß]	to know
Wissenswertes	here: cultural information
zirka	circa, about

■ Kapitel 2: Teile A, C und D

■ Chapter 2: Parts A, C and D

aber	but
die **Abteilung**, -en	department (of a company)
ach so	oh yes, I see
der **Akzent**, -e	accent
alles	all, everything
Alles ist da.	Everything is here.
die **Alltagskommunikation**	everyday communication
also	so
am	at
Kontakte am Arbeitsplatz	Contacts at work
Was machst du am Wochenende?	What do you do over the weekend?
ankreuzen	to tick
Kreuzen Sie die richtige Antwort an.	Tick the right answer.
die **Analyse**, -n	analysis
das **Antonym**, -e	antonym
die **Arbeit**	work
der **Arbeitsplatz**, ⁔e	workplace
der **Arbeitstag**, -e	working day
die **Astronomie**	astronomy
bedeuten	to mean
Was bedeutet das?	What does this mean?
bekommen	to receive, to get
Informationen bekommen	to receive information
bequem	comfortable
beschreiben	to describe
besuchen	to visit; to take (course)
einen Sprachkurs besuchen	to take a language course
einen Freund besuchen	to visit a friend
bezahlen	to pay
die **Bibliothek**, -en	library
das **Bier**, -e	beer
das **Bild**, -er	image, picture
der **Bildschirm**, -e	screen
billig	cheap
bis	until
Bis später.	See you later. (lit.: Until later.)

Chapitre 1	Capítulo 1
peut-être	quizás
vraisemblablement	aparentemente
monde	el mundo, -s
réunification (de l'Allemagne)	la reunificación
combien ?	¿cuántos/as?
savoir	Saber/ él sabe
ici : informations culturelles	interesante
à peu près	aproximadamente

▨ Chapitre 2 : Partie A, C et D   ▨ Capítulo 2: Partes A,C y D

mais	pero
département (d'une entreprise)	la división
ah oui, je vois	ah, ah ya
accent	el acento, -s
tout	todo
Tout est là.	Todo está ahí.
communication quotidienne	la comunicación diaria
alors, donc	así, por consiguiente, bueno (inform)
à	en el
contacts sur le lieu de travail	contactos en el lugar de trabajo
Que fais-tu ce/le weekend ?	¿Qué haces durante el fin de semana?
cocher	marcar con una cruz
Cochez la bonne réponse.	Marque con una cruz la respuesta correcta.
analyse	el análisis, -
antonyme	el antónimo, -s
travail	el trabajo
lieu de travail	el puesto de trabajo, -s
journée de travail	la jornada laboral, -s
astronomie	la astronomía
signifier, vouloir dire	significar
Qu'est-ce que cela veut dire ?	¿Qué significa esto?
recevoir	recibir
recevoir des informations	recibir informaciones
confortable	cómodo
décrire	describir
visiter, aller voir, prendre (cours)	visitar, asistir
prendre un cours de langue	asistir a un curso
aller voir un ami	visitar a un amigo
payer	pagar
bibliothèque (lieu)	la biblioteca, -s
bière	la cerveza, -s
image	la imagen, -es, el cuadro, -s
écran	la pantalla, -s
bon marché	barato
jusqu'à	hasta
A plus tard.	Hasta luego.

bitte	please
Wiederholen Sie bitte.	Repeat it, please.
Bitte sehr.	You are welcome.
der **Bleistift**, -e	pencil
die **Brille**, -n	glasses
das **Bücherregal**, -e	bookshelf
Bulgarisch	Bulgarian
das **Büro**, -s	office
die **Büroeinrichtung**, -en	office furniture
die **Bürolampe**, -n	office lamp
der **Bürostuhl**, ˫e	office chair
die **Cafeteria**, -s	cafeteria
der **Cent**, -s	cent
der **Computer**, -	computer
der **Computertisch**, -e	computer table
da	here
der **Dank**	thank
Vielen Dank.	Many thanks.
danke	thanks, thank you
denken	to think
das **Dialogmodell**, -e	model dialogue
der **Dienstag**, -e	Tuesday
das **Dokument**, -e	document
der **Donnerstag**, -e	Thursday
drucken	to print
der **Drucker**, -	printer
dunkel/dunkl-	dark
Das Zimmer ist dunkel.	The room is dark.
Das ist ein dunkles Zimmer.	This is a dark room.
einmal	once
Erklären Sie das noch einmal.	Explain it one more time/again.
die **Einrichtung**, -en	furniture
erhalten [er erhält]	to receive
erklären	to explain
erst-	first
erste Kontakte	first contacts
essen [er isst]	to eat
euer (m, n)/**eure** (f, Pl.)	your (informal, pl)
euer Sohn/eure Tochter	your son/your daughter
der **Euro**, -(s)	euro
Das Buch kostet acht Euro.	The book costs eight euros.
die **Euromünze**, -n	euro coin
etwas	something, anything
Fehlt etwas?	Is anything missing?
die **Fähigkeit**, -en	skill, competence
fahren [er fährt]	to drive; to go (by means of transportation)
Auto fahren	to drive a car
nach München fahren	to go to Munich

Français	Español
s'il vous plaît	por favor
Répétez s'il vous plaît.	Por favor, repita.
Je vous en prie.	De nada.
crayon	el lápiz
lunettes	las gafas
bibliothèque (meuble)	la estantería, -s
bulgare	búlgaro
bureau (lieu)	la oficina, -s
mobilier de bureau	el mobiliario de oficina, -s
lampe de bureau	la lámpara de oficina, -s
chaise de bureau	la silla de oficina, -s
cafétéria	la cafetería, -s
centime	el céntimo, -s
ordinateur	el ordenador, -es
bureau pour l'ordinateur	la mesa de ordenador, -s
ici	allí, pues
merci	las gracias
Merci beaucoup.	Muchas gracias.
merci	¡Gracias!
penser	pensar
dialogue type	el modelo de diálogo, -s
mardi	el martes, -
document	el documento, -s
jeudi	el jueves, -
imprimer	imprimir
imprimante	la impresora
sombre, foncé	oscuro, a
La pièce est sombre.	La habitación está oscura.
C'est une pièce sombre.	Es una habitación oscura.
une fois	una vez
Expliquez-le encore une fois./Réexpliquez-le.	Explíquemelo otra vez.
mobilier	el mobiliario, -s, la instalación, -es
recevoir	recibir
expliquer	aclarar, explicar
premier	primer
premiers contacts	primeros contactos
manger	comer
votre (informel, pl)	vuestro, -a
votre fils/votre fille	vuestro hijo, vuestra hija
euro	el euro
Le livre coûte huit euros.	El libro cuesta ocho euros.
pièce, petite monnaie d'euro	la moneda de euro, -s
quelque chose	algo
Est-ce qu'il manque quelque chose ?	¿Falta algo?
capacité	la capacidad, la habilidad, -es
conduire, aller (avec un moyen de transport)	conducir
conduire une voiture	conducir un coche
aller à Munich	conducir hacia Munich

das **Fahrrad**, ⸚er	bicycle
falsch	false
das **Faxgerät**, -e	fax machine
fehlen	to be missing
finden [er findet]	to find
Wie finden Sie Marburg?	What do you think of Marburg?
das **Foto**, -s	photograph, picture
fotografieren	to take a photograph
der **Freitag**, -e	Friday
die **Freizeit**	free time
die **Freizeitaktivität**, -en	free time activity, leisure
die **Fremdsprache**, -n	foreign language
das **Fremdwort**, ⸚er	foreign word
führen	to conduct, to lead
ein Gespräch führen	to conduct a conversation
funktionieren	to function, to work
Mein Computer funktioniert gut.	My computer works fine.
für	for
der **Fußballspieler**, -	football player
ganz	quite
Meine Telefonnummer ist ganz einfach.	My telephone number is quite easy.
der **Gegenstand**, ⸚e	object
gehen	to go, to work
Der Drucker geht.	The printer works.
das **Gerät**, -e	device, machine
das **Gespräch**, -e	discussion, conversation
ein Gespräch führen	to conduct a conversation
glauben	to believe
gleich	immediately, in a second
das **Golf**	golf
groß	big, large
die **Grundregel**, -n	basic rule
die **Gymnastik**	gymnastics
hässlich	ugly
Hause	home
Ich bin zu Hause.	I am at home.
hell	light, bright, clear
ein helles Zimmer	a bright room
herzlich	cordial
Herzlich willkommen!	Welcome!
heute	today
hier	here
der **Hip-Hop**	hiphop (music)
hoffentlich	hopefully
immer	always
das **Instrument**, -e	instrument
interessant	interesting
das **Internet**	Internet

bicyclette	la bicicleta, -s
faux	erróneo
fax, télécopieur	el fax
manquer	faltar
trouver	encontrar, él encuentra
Comment trouvez-vous Marburg ?	¿Qué le parece Marburg?
photo	la foto, -s
prendre des photos	fotografiar
vendredi	el viernes, -
temps libre	el tiempo libre, el ocio
loisir	la actividad de ocio, -es
langue étrangère	la lengua extranjera, -s
mot étranger	la palabra extranjera, -s
conduire, mener	guiar, llevar (a alguien)
discuter, mener une conversation	conversar, llevar una conversación
fonctionner	funcionar
Mon ordinateur fontionne bien.	Mi ordenador no funciona bien.
pour	para
joueur de football	el jugador de fútbol, -es
tout, complètement	completo
Mon numéro de téléphone est tout simple.	Mi número de teléfono es muy sencillo.
objet	el estado, -es
aller, marcher	ir, funcionar
L'imprimante marche.	la impresora funciona
appareil, machine	el aparato, -s
discussion, conversation	la conversación, -es
discuter, mener une conversation	llevar una conversación
croire	creer
tout de suite	mismo
golf	el golf
grand	grande, alto
règle fondamentale	la regla básica, -s
gymnastique	la gimnasia
laid	feo, malo
maison	la casa
Je suis à la maison.	Estoy en casa.
clair, lumineux	luminoso, claro
une pièce lumineuse	una habitación luminosa
cordial	afectuoso, cariñoso
Bienvenue !	¡Bienvenido!
aujourd'hui	hoy
ici	aquí
musique hiphop	el HipHop
espérons que	ojalá
toujours	siempre
instrument	el instrumento, -s
intéressant	interesante
Internet	el internet

jeder (m)/**jede** (f)/**jedes** (n)	every
jeden Tag	every day
jetzt	now
der **Kaffee**	coffee
die **Kaffeemaschine**, -n	coffee machine
kalt	cold
die **Kantine**, -n	canteen
kaputt	broken
Der Drucker ist kaputt.	The printer is broken/does not work.
die **Karte**, -n	card
Karten spielen	play cards
kein (m, n)/**keine** (f, Pl.)	no, not any
Hier ist kein Drucker.	There is no printer here.
Hier ist keine Lampe.	There is no lamp here.
klassisch	classical
klassische Musik	classical music
das **Klavier**, -e	piano
Klavier spielen	to play the piano
kochen	to cook
der **Kollege**, -n	colleague (m)
die **Kollegin**, -nen	colleague (f)
der **Kontakt**, -e	contact
können [er kann]	to be able, to can
Er kann gut schwimmen.	He can swim well.
das **Kopiergerät**, -e	copy machine
kosten [er kostet]	to cost
der **Krimi**, -s	crime novel (short form)
der **Kugelschreiber**, -	pen
die **Lampe**, -n	lamp
die **Landschaft**, -en	landscape
langweilig	boring
Latein	Latin
die **Lehrveranstaltung**, -en	lecture (at university)
Lieblings-	favourite
das Lieblingshobby	favourite hobby
links	on/to the left
die **Literatur**	literature
mal	expletive word
Ich frage mal Paul.	I'll ask Paul.
man	one (general subject)
meinen	to think, to have an opinion
Was meinen Sie?	What do you think?
die **Mathematik**	mathematics
die **Maus**, ̈e	mouse
die **Mensa**, -s	canteen, refectory (for students)
der **Mensch**, -en	person, human being
die **Million**, -en	million
die **Mitarbeiter**, -	staff member

Chapitre 2

Capítulo 2

chaque	cada (masc, fem, neutr)
chaque jour	cada día
maintenant	ahora
café (boisson)	el café
machine à café	la máquina de café
froid	frío
cantine	la cantina, -s
cassé	estropeado
L'imprimante est casée.	La impresora está estropeada.
carte	la carta, el mapa, -s
jouer aux cartes	jugar a cartas
aucun, aucune, aucuns, aucunes	ningún/ninguna
Il n'y a aucune/pas d'imprimante ici.	No hay ninguna impresora aquí.
Il n'y a aucune/pas de lampe ici.	Aquí no hay ninguna lámpara.
classique	clásico
musique classique	música clásica
piano	el piano, -s
jouer du piano	tocar el piano
cuisiner	cocinar
collègue (m)	el colega, -s
collègue (f)	la colega, -s
contact	el contacto, -s
pouvoir, savoir	poder, saber
Il sait bien nager.	Él sabe nadar bien.
photocopieuse	la copiadora, -s
coûter	costar, cuesta
roman policier (forme courte)	la novela/serie negra
stylo	el bolígrafo, -s
lampe	la lámpara, -s
paysage	el paisaje, -s
ennuyeux	aburrido
latin	latín
cours (universitaire)	la clase, -s
favori, préféré	preferido
loisir préféré	el hobby preferido
à gauche	a la izquierda
littérature	la literatura
mot explétif (ne pas traduire)	vez, alguna vez
Je vais demander à Paul.	Ya le pregunto a Paul.
on (sujet général)	uno (forma reflexiva)
penser	opinar
Qu'en pensez-vous ?	¿Qué opina usted?
mathématiques	la matemática
souris	el ratón, -es
cantine, restaurant universitaire	la cantina, -s
homme, personne	el ser humano, -es
million	el millón, -es
collègue, employé d'une companie	el compañero, -s

der **Mittwoch**, -e	Wednesday
möchte(n) [er möchte]	would like
Sie möchte singen.	She would like to sing.
modern	modern
die **Möglichkeit**, -en	possibility, opportunity
der **Montag**, -e	Monday
das **Motorrad**, ⁝er	motorcycle
na	so (introduces a question)
Na, wie geht es?	So, how is it going?
nach	to (city, country, continent), for
nach München fahren	to go to Munich
nach den Preisen fragen	to ask for the prices
natürlich	naturally, of course
neu	new
der **Nichtraucher**, -	non-smoker
nichts	nothing
noch	yet, still
Wir suchen noch eine Sängerin.	We are still looking for a singer.
noch einmal	once again, one more time
Erklären Sie das noch einmal.	Explain it one more time/again.
oft	often
das **Orchester**, -	orchester
der **Ort**, -e	place
der **Papierkorb**, ⁝e	waste-paper basket
perfekt	perfect
das **Pingpong**	ping-pong
der **Plan**, ⁝e	map; plan
Das ist der Plan der Universität.	This is the map of the university.
Ich habe einen Plan.	I have a plan.
praktisch	practical
der **Preis**, -e	price
die **Preisangabe**, -n	price indication
preiswert	good value
pro	per
drei Zigaretten pro Tag	three cigarettes per day
das **Problem**, -e	problem
die **Psychologie**	psychology
rauchen	to smoke
reagieren	to react
die **Rechnung**, -en	invoice, bill
rechts	on the right, to the right
das **Regal**, -e	shelf
die **Regel**, -n	rule
reisen	to travel
die **Rockmusik**	rock music
die **Rolle**, -n	role
rund um (die Arbeit)	(all) about (work)
die **Sache**, -n	thing, matter

Chapitre 2   Capítulo 2

Chapitre 2	Capítulo 2
mercredi	el miércoles, -
voudrait	quisiera
Elle voudrait chanter.	Ella quisiera cantar.
moderne	moderno
possibilité	la posibilidad, -es
lundi	el lunes, -
moto	la motocicleta, -s
eh bien, alors	¿y?
Alors, comment ça va ?	¿Y? ¿qué tal?
à (ville, pays), sur	hacia, por
partir à Munich	conducir hacia Munich
de renseigner sur les prix	preguntar por los precios
bien sûr, naturellement	naturalmente, claro
neuf, nouveau	nuevo
non-fumeur	el no-fumador, -es
ne … rien	nada
encore	todavía, aún
Nous cherchons encore une chanteuse.	Aún buscamos una cantate.
encore une fois	otra vez
Expliquez-le encore une fois.	Explíquemelo otra vez.
souvent	frecuentemente
orchestre	la orquesta, -s
lieu, endroit	el lugar, -es
corbeille à papier	la papelera, -s
parfait	perfecto
ping-pong	el pingpong
plan	el plan, -es, el plano, -s
C'est le plan de l'université.	Éste es el plano de la universidad.
J'ai un plan.	Tengo un plan.
pratique	práctico
prix	el precio, -s
indication de prix	la indicación del precio, -es
peu cher	económico
par	por
trois cigarettes par jour	3 cigarrillos por día
problème	el problema, -s
psychologie	la psicología
fumer	fumar
réagir	reaccionar
facture	la cuenta, -s
à droite	a la derecha
étagère	la estantería, -s
règle	la regla, -s
voyager	viajar
rock	la música rock
rôle	el papel, el rol, -es
autour du (travail)	en torno a
chose	el asunto, la cosa, -s

die **Salsa**	salsa
Salsa tanzen	to dance salsa
der **Samstag**, -e	Saturday
das **Saxofon**, -e	saxophone
die **Sängerin**, -nen	singer (f)
das **Schach**	chess
schlecht	bad, badly
schön	beautiful, nice
der **Schreibtisch**, -e	desk
die **Schreibtischlampe**, -n	desk lamp
schwimmen	to swim
sehen [er sieht]	to see
das **Sekretariat**, -e	secretary's office
der **Ski**	ski
Ski fahren	to ski
das **Signal**, -e	signal
sitzen	to sit
der **Sonntag**, -e	Sunday
sortieren	to sort, to arrange
die **Sporthalle**, -n	sport centre
das **Sprachenzentrum**, die Sprachenzentren	language centre
der **Sprachkurs**, -e	language course
der **Stuhl**, ̈e	chair
suchen	to look for
surfen	to surf, to navigate
im Internet surfen	to surf the Internet
die **Tabelle**, -n	table
der **Tango**	tango
tanzen	dancer
Salsa tanzen	to dance salsa
das **Telefon**, -e	telephone
telefonieren	to make a phone call
der **Termin**, -e	appointment
der **Terminkalender**, -	agenda
teuer/teur-	expensive
Das Buch ist teuer.	The book is expensive.
Das ist ein teures Buch.	This is an expensive book.
der **Tipp**, -s	hint
der **Tisch**, -e	table (furniture)
treiben	here: to play, to do
Sport treiben	to play/to do sport
trinken	to drink
tun [er tut]	to make, to do
unbequem	uncomfortable
die **Universität**, -en	university
das **Universitätsorchester**, -	university orchester
unmodern	old-fashioned
unpraktisch	unpractical, inconvenient

salsa	la salsa (baile)
danser le salsa	bailar salsa
samedi	el sábado, -s
saxophone	el saxofón, -es
chanteuse	la cantante, -s
échecs	el ajedrez
mauvais, mal	mal
joli, beau	bonito
bureau (meuble)	el escritorio, -s
lampe de bureau	la lámpara de escritorio, -s
nager	nadar
voir	ver, él ve
secrétariat	el secretariado, la secretaría, -s
ski	el esquí
faire du ski	esquiar
signal	la señal, -es
être assis	sentarse
dimanche	el domingo, -s
classifier, arranger	ordenar
gymnase	el gimnasio, -s el pabellón deportivo, -es
centre (universitaire) de langues	el centro de idiomas, -s
cours de langue	el curso de idiomas, -s
chaise	la silla, -s
chercher	buscar
surfer, naviguer	surfear
naviguer sur Internet	surfear en internet
tableau, table	la tabla
tango	el tango
dancer	bailar
dancer le salsa	bailar salsa
téléphone	el teléfono, -s
téléphoner	telefonear
rendez-vous	la cita, plazo, -s
agenda	la agenda, -s
cher	caro
Le livre est cher.	El libro es caro.
C'est un livre cher.	Es un libro caro.
suggestion	el consejo, -s
table	la mesa, -s
ici : pratiquer, faire	practicar, hacer avanzar
faire du sport	practicar deporte
boire	beber
faire	hacer
inconfortable	incómodo
université	la universidad, -es
orchestre de l'université	la orquesta de la universidad, -s
démodé	antiguo
pas/peu pratique	poco práctico

unterstreichen	to stress, to underline
unser (m, n)/**unsere** (f, Pl.)	our
unser Sohn/unsere Tochter	our son/our daughter
unzufrieden	unhappy, dissatisfied
verbinden [er verbindet]	to connect, to match
Verbinden Sie die Antonyme.	Match the antonyms.
verteilt	distributed, alloted
den Dialog mit verteilten Rollen lesen	here: to distribute the roles and to read the dialogue
die **Verwaltung**, -en	administration
viel	much, a lot, plenty of
Ich habe viel Zeit:	I have a lot of time.
viel-	many
Ich habe viele Fotos.	I have many photos.
Vielen Dank.	Many thanks.
vielleicht	maybe, perhaps
die **Violine**, -n	violin
der **Walzer**	Waltz
wandern	to hike
warm	warm
Wie geht es?	How is it going? How are you?
wieder	again
willkommen	welcome
Herzlich willkommen!	Welcome!
die **Woche**, -n	week
das **Wochenende**, -n	weekend
der **Wochentag**, -e	weekday
wohin?	where (to)? (direction)
der **Wortakzent**, -e	word accent
das **Yoga**	yoga
die **Zeit**, -en	time
die **Zeitung**, -en	newspaper
die **Zigarette**, -n	cigarette
das **Zimmer**, -	room
zu	at, to
Ich bin zu Hause.	I am at home.
zuerst	first
zufrieden	happy, satisfied
zusammen	together

◾ Kapitel 2: Teil B   ◾ Chapter 2: Part B

die **Ansichtskarte**, -n	postcard
der **Deutsche**, -n	German (person)
der **Gartenzwerg**, -e	garden gnome
der **Geldschein**, -e	banknote, bill
die **Grafik**, -en	graphics
jemand	someone
der **Käfer**, -	bug

Chapitre 2   Capítulo 2

Français	Español
souligner	subrayar
notre, nos	nuestro (masc) nuestra (fem), nuestros, -as
notre fils/notre fille	nuestro hijo, nuestra hija
mécontent	insatisfecho
relier	conectar, unir, relacionar
Reliez les antonymes.	Una los antónimos.
en répartissant	repartido
lire le dialogue en répartissant les rôles	leer el diálogo con los roles repartidos
administration	la administración, -es
beaucoup (indénombrable)	mucho
J'ai beaucoup de temps.	Tengo mucho tiempo.
beaucoup (dénombrable)	muchas
J'ai beaucoup de photos.	Tengo muchas fotos.
Merci beacoup.	Muchas gracias.
peut-être	quizás
violon	el violín, -es
valse	el vals
faire des randonnées	hacer una excursión a pie, caminar, vagar
chaud	caliente, cálido
Comment ça va ?	¿Qué tal?
à nouveau	otra vez
bienvenue	dar la bienvenida
Bienvenue !	¡Bienvenido!
semaine	la semana, -s
weekend	el fin de semana, -es
jour de la semaine	el día de la semana, -s
où ? vers où ? (direction)	¿hacia dónde?
accent tonique	el acento silábico, -s
yoga	el yoga
temps	el tiempo, -s
journal	el periódico, -s
cigarette	el cigarrillo, -s
pièce, chambre	la habitación, -es
à, chez	a, por
Je suis à la maison/chez moi.	estoy en casa
d'abord	primero
content	satisfecho
ensemble	juntos

◼ Chapitre 2 : Partie B   ◼ Capítulo 2: Parte B

Français	Español
carte postale	la tarjeta postal, -s
Allemand	el alemán, -es
nain de jardin	el enano de jardín, -s
billet (d'argent)	el billete, -s
graphique	artes gráficas, el dibujo gráfico, -s
quelqu'un	alguien
coléoptère	el escarabajo, -s

die **Kunst**, ⁱe	art
das **Matchboxauto**, -s	matchbox car
die **Möbel** (Pl.)	furniture
die **Muschel**, -n	shell
nachschlagen [er schlägt nach]	to look up
Schlagen Sie unbekannte Wörter nach.	Look up the unknown words.
das **Porzellan**	porcelain, chinaware
der **Sammel-Eifer**	collecting fever
der **Stein**, -e	stone
unbekannt	unknown
unbekannte Wörter	unknown words
der **Wandteller**, -	decorative (painted) plate
der **Zinnsoldat**, -en	tin soldier

▦ Kapitel 3: Teile A, C und D   ▦ Chapter 3: Parts A, C and D

ab	since
das **Abendessen**, -	dinner
abends	in the evening
abheben + A	to withdraw
Geld abheben	to withdraw money
die **Abreise**, -n	departure
der **Abreisetag**, -e	departure day
ägyptisch	Egyptian
amerikanisch	American
das **Angebot**, -e	offer
das **Anmeldeformular**, -e	registration form
sich **anmelden** (reflexiv)	to register
sich im Hotel anmelden	to register in a hotel
die **Anreise**, -n	arrival
der **Anreisetag**, -e	arrival day
die **Anschrift**, -en	address
die **Anzahl**, -en	number
die **Apotheke**, -n	pharmacy
die **Architektur**	architecture
die **Aspirintablette**, -n	aspirin tablet
der **Aufenthalt**, -e	stay
Schönen Aufenthalt!	Enjoy your stay!
aufgeregt	excited
ausfüllen + A	to fill in sth
ein Formular ausfüllen	to fill in a form
außerdem	furthermore
die **Ausstattung**, -en	equipment
die **Ausstellung**, -en	exhibition
die **Ausstellungsfläche**, -n	exhibition area
das **Bad**, ⁱer	bath
der **Bahnhof**, ⁱe	railway station

art	el arte
voiture miniature	el auto de juguete, de miniatura, -s
meubles	los muebles
coquillage	el marisco, la concha, -s
chercher (dans un document écrit)	consultar
Cherchez les mots inconnus (dans votre dictionnaire).	Consulte las palabras desconocidas.
porcelaine	la porcelana
fièvre collectionneuse	el afán de recolectar, de coleccionar
pierre	la piedra, -s
inconnu	desconocido/a
mots inconnus	palabras desconocidas
assiette de décoration	el plato de pared, -s
soldat de plomb	el soldado de plomo, -s

▣ Chapitre 3 : Partie A, C et D   ▣ Capítulo 3: Partes A,C y D

depuis, à partir de	desde, a partir de
dîner	la cena, -s
le soir	por la tarde, vespertino
retirer qqch	retirar, sacar, apartar
retirer de l'argent	sacar, retirar dinero
départ	la partida, -s
jour du départ	el día de la partida, -s
égyptien	egipcio
américain	americano
offre	la oferta, -s
formulaire d'arrivée (à l'hôtel)	el formulario de solicitud, -s
s'inscrire (réflexif)	registrarse (reflexivo)
remplir le formulaire d'arrivée à l'hôtel	registrarse en un hotel
arrivée	la llegada, -s
jour de l'arrivée	el día de llegada, -s
adresse	las señas
nombre	el número, -s, la cantidad, -es
pharmacie	la farmacia, -s
architecture	la arquitectura
comprimé d'aspirine	la aspirina, -s
séjour	la estancia, -s
Bon séjour !	¡Feliz estancia!
excité	agitado, irritado
remplir	rellenar
remplir un formulaire	rellenar un formulario
en outre, en dehors de cela	además
équipement	el equipamiento, -s
exposition	la exposición, -es
superficie de l'exposition	la superficie de la exposición, -s
bain	el baño, -s
gare	la estación, -es

der **Balkon**, -e	balcony
die **Bank**, -en	bank
bar	cash
Ich zahle bar.	I pay cash.
die **Bar**, -s	bar
das **Bargeld**	cash
Wir nehmen nur Bargeld.	We only take cash.
bedeutend	significant
die **Begrüßung**, -en	greeting
benutzen + A	to use sth
berühmt	famous
die **Besonderheit**, -en	speciality
bestimmen + A	to determine sth
Das letzte Wort bestimmt den Artikel.	The last word determines the article.
der **Besuch**, -e	visit
das **Bett**, -en	bed
bewundern + A	to admire sth
berühmte Bilder bewundern	to admire famous paintings
bezahlen	to pay
der **Biergarten**, ⸗	beer garden
bieten [er bietet] + A	to offer sth
Der Englische Garten bietet viele Freizeit-möglichkeiten.	The English Garden offers many leisure activities.
bleiben	to stay
brauchen + A	to need sth
der **Brief**, -e	letter
die **Briefmarke**, -n	stamp
bringen + A	to bring sth
Ich bringe ein Handtuch.	I'll bring you a towel.
Wir bringen das Problem in Ordnung.	We will take care of the problem.
das **Brötchen**, -	bread roll
der **Bürgermeister**, -	mayor
das **Café**, -s	café
der **Cappuccino**, -(s)	cappuccino
die **Cola**, -s	Coca-Cola
die **Computerfirma**, die Computerfirmen	computer firm
dann	then
das **Datum**, die Daten	date
die **Davidstatue**, -n	Statue of David
der **Deutschkurs**, -e	German course
doch	but (expletive word to stress irritation)
Das kann doch nicht sein!	(But) it can't be true! (But) it's impossible!
das **Doppelbett**, -en	double bed
das **Doppelzimmer**, -	double room
das **Dreibettzimmer**, -	triple room
die **Dusche**, -n	shower
duschen	to take a shower

balcon	el balcón, -es
banque	el banco, -s
comptant	efectivo
Je paie en espèces.	Pago en efectivo.
bar	el bar, -es
argent comptant, espèces	efectivo
Nous acceptons seulement des espèces.	Sólo aceptamos efectivo.
significatif, important	significativo
salutation	el saludo, -s
utiliser qqch	utilizar
célèbre	famoso
spécialité, particularité	lo extraordinario, -s
déterminer qqch	determinar
Le dernier mot détermine l'article.	La última palabra determina el artículo.
visite	la visita, -s
lit	la cama, -s
admirer qqch/qqn	admirar
admirer des tableaux célèbres	admirar cuadros famosos
payer	pagar
brasserie, café avec une terrasse	la cervecería al aire libre, -s
offrir qqch	ofrecer
Le Jardin Anglais offre beaucoup	El Jardín Inglés ofrece muchas posibilidades
d'activités.	para el ocio.
rester	permanecer
avoir besoin de qqch	necesitar
lettre	la carta, -s
timbre	el sello, -s
apporter qqch, amener qqch	traer
J'apporte une serviette.	Traigo un pañuelo.
Nour règlons le problème.	Resolvemos un problema.
petit pain	el panecillo, -s
maire	el alcalde, -s
café (lieu)	el café, -s
cappuccino	el «capuccino», -s
coca	la Coca-Cola, -s
entreprise informatique	la empresa de informática, -s
puis	entonces
date	la fecha, los datos
Statue de Davide	la estatua de David, -s
cours d'allemand	el curso de alemán, -s
mais, quand-même (mot explétif qui	claro, sin embargo
accentue l'irritation)	
Mais ce n'est pas possible !	¡No puede ser!
lit double	la cama doble, -s
chambre double	la habitación doble, -es
chambre triple	la habitación triple, -es
douche	la ducha, -s
se doucher	ducharse

der **Eigenname**, -n	proper noun
der **Eintrittspreis**, -e	admission fee
das **Einzelbett**, -en	single bed
das **Einzelzimmer**, -	single room
entfernt	far
Das Hotel liegt 20 Minuten vom Stadtzentrum entfernt.	The hotel is located 20 minutes from the city centre.
entscheiden [er entscheidet]	to decide
die **Erfindung**, -en	invention
erfragen + A	to ask for sth
Informationen erfragen	to ask for information
etwas	a little, a bit
Bis 20 Uhr habe ich noch etwas Zeit.	Until 8 PM, I have a bit of time. Until 8 PM I still have some time left.
exklusive	exlusive
Der Preis ist exklusive Frühstück.	The price does not include breakfast.
extra	extra
Das Frühstück kostet zehn Euro extra.	The breakfast costs 10 euros extra.
die **Familienkarte**, -n	family ticket
fernsehen [er sieht fern]	to watch TV
der **Fernseher**, -	television set
der **Film**, -e	film
die **Firma**, die Firmen	fitness centre
das **Fitnesscenter**, -	surface
die **Fläche**, -n	area
das **Formular**, -e	form
formulieren + A	to formulate sth
Formulieren Sie fünf Wünsche.	Formulate five wishes.
frei	free
Haben Sie noch ein Zimmer frei?	Do you have a room available?
die **Freizeitmöglichkeit**, -en	free-time activity
das **Frühstück**, -e	breakfast
der **Garten**, ¨	garden
der **Gast**, ¨e	guest
das **Gebäude**, -	building
geben [er gibt] + A	to give, to provide sth
Informationen geben	to give information
das **Geburtsdatum**, die Geburtsdaten	date of birth
der **Geburtsort**, -e	place of birth
das **Geld**, -er	money
geöffnet	open
Das Museum ist/hat bis 17 Uhr geöffnet.	The museum is open until 5 PM.
geschlossen	closed
Das Museum ist/hat heute geschlossen.	The museum is closed today.
gestern	yesterday
(es) **gibt** + A	there is/there are sth
Es gibt hier ein Restaurant.	There is a restaurant here.

nom propre	el nombre propio, -s
prix d'entrée	el precio de entrada, -s
lit simple	la cama individual, -s
chambre individuelle	la habitación individual, -es
éloigné	lejos (distancia)
L'hôtel se situe à 20 minutes du centre-ville.	El hotel está a 20 minutos del centro.
décider	decidir
invention	la invención
demander qqch	averiguar
demander des informations	averiguar información
un peu	algo
Jusqu'à 20 heures, j'ai encore un peu de temps.	Tengo algo de tiempo hasta las ocho.
exclusif	sin incluir
Le petit déjeuner n'est pas compris dans le prix.	El precio no incluye el desayuno.
à part, en plus	extra
Le petit déjeuner coûte dix euros en plus.	El desayuno cuesta 10 euros extras.
ticket famille	tarjeta familiar, billete familiar, -s
regarder la télé	ver la televisión
télévision	el televisor
film	la película
entreprise, companie	la empresa, las empresas
centre de sport	el centro de fitness, -s
superficie	la superficie, -s
formulaire	el formulario, -s
formuler qqch	formular
Formulez cinq veux.	Formule cinco deseos.
libre	libre
Avez-vous encore une chambre libre ?	¿Tienen una habitación libre?
(possibilité d') activité	posibilidad de ocio
petit déjeuner	desayuno, -s
jardin	el jardín, -es
invité, hôte, client (de l'hôtel)	el huésped, -es
bâtiment	el edificio, -s
donner qqch	dar
donner des informations	dar información
date de naissance	fecha de nacimiento
lieu de naissance	lugar de nacimiento
argent	el dinero
ouvert	abierto
Le musée est ouvert jusqu'à 17 heures.	El museo está abierto hasta las 17:00.
fermé	cerrado
Le musée est fermé aujourd'hui.	El museo está hoy cerrado.
hier	ayer
il y a qqch	haber
Il y a un restaurant ici.	Aquí hay un restaurante.

das **Glück**	chance, luck
zum Glück	luckily
der **Gott**, ⁻er	God
Grüezi! (Schweiz)	greeting (in Switzerland)
der **Gruß**, ⁻e	greeting, regard
Viele Grüße aus München.	Regards from Munich.
Grüß Gott! (Bayern, Österreich)	greeting (in Bavaria and in Austria)
günstig	advantageous, favourable
Das Hotel liegt günstig.	The hotel is favourably located.
der **Haartrockner**, -	hairdryer
halten [er hält]	to stop
Der Zug hält.	The train stops.
das **Handtuch**, ⁻er	towel
hart	hard
Mein Bett ist hart.	My bed is hard.
Haupt-	main
der **Hauptbahnhof**, ⁻e	main railway station, central station
die **Hauptstaße**, -n	main street
das **Haus**, ⁻er	house
die **Hausaufgabe**, -n	homework
die **Hausnummer**, -n	house number
das **Heimatmuseum**, die Heimatmuseen	local museum
das **Hektar**, -e	hectare
die **Hilfe**, -n	help
die **Homepage**, -n	homepage
der **Hosenbügler**, -	trousers press
das **Hotel**, -s	hotel
das **Hotelrestaurant**, -s	hotel restaurant
das **Hotelzimmer**, -	hotel room
die **Industrie**, -n	industry
der **Industrieroboter**, -	industrial robot
inklusive	inclusive
Der Preis ist inklusive Frühstück.	The price includes breafast.
der **Internetanschluss**, ⁻e	Internet access
irritiert	irritated
das **Jahrhundert**, -e	century
die **Karte**, -n	ticket, card
die **Kartoffel**, -n	potato
kaufen + A	to buy sth
das **Kino**, -s	cinema
das **Konzert**, -e	concert
das **Kopfkissen**, -	pillow
die **Kreditkarte**, -n	credit card
kühl	fresh
ein kühles Bier	a fresh beer
die **Kunst**, ⁻e	art
das **Kunstwerk**, -e	work of art
die **Lage**, -n	situation, location, position

chance	la suerte
heureusement	por suerte
Dieu	el dios, -es
forme de salutation (en Suisse)	¡hola! (en Suiza)
salutation	el saludo
Meilleures salutations de Munich.	Saludos desde Munich.
forme de salutation (en Bavière et en Autriche)	¡Buenas nos dé Dios! (Baviera, Austria)
avantageux, intéressant	conveniente
L'hôtel est bien situé.	El hotel está bien situado.
sèche-cheveux	el secador de pelo, -es
s'arrêter	pararse, él se para
Le train s'arrête.	el tren para
serviette, essuie-main	la toalla, -s
dur	duro
Mon lit est dur.	Mi cama es dura.
principal-	principal, central
gare centrale	la estación central, -es
rue principale	la calle principal, -s
maison	la casa, -s
devoirs (faits à la maison)	los deberes, -
numéro de maison	el número de la casa, -s
musée local	el museo regional, -s
hectare	la hectárea, -s
secours, aide	la ayuda, -s
page d'acceuil	la homepage, -s
presse pour pantalons	la plancha para pantalones, -s
hôtel	el hotel, -es
restaurant d'hôtel	el restaurante del hotel, -s
chambre d'hôtel	la habitación del hotel, -s
industrie	la industria, -s
robot industriel	el robot industrial, -s
inclusif, compris	incluido
Le petit déjeuner est compris dans le prix.	El precio incluye el desayuno.
accès Internet	la conexión a internet, -es
irrité	irritado
siècle	el siglo, -s
ticket, billet	la tarjeta, el billete, -s
pomme de terre	la patata, -s
acheter qqch	comprar
cinéma	el cine, -s
concert	el concierto, -s
oreiller	la almohada, -s
carte de crédit	la tarjeta de crédito, -s
frais	frío
une bière fraiche	una cerveza fría
art	el arte, -s
oeuvre d'art	la obra de arte, -s
situation, position	el lugar, la localización, -es

lang	long
langsam	slow
das **Lebensmittel**, -	food
leer	empty
letzt-	last
das letzte Wort	the last word
lieb-	dear
liebe Petra/lieber Karl	dear Petra/dear Charles
liegen	to be located
Das Hotel liegt im Zentrum von München.	The hotel is located in the centre of Munich.
mehrere	more than one, several
Ich habe mehrere Probleme.	I have several problems.
melden [er meldet] + A	to report sth
ein Problem melden	to report a problem
die **Milch**	milk
die **Minibar**, -s	minibar
die **Minute**, -n	minute
der **Mittag**, -e	midday
der **Moment**, -e	moment
Moment mal!	One moment, please!
im Moment	at this moment
der **Monat**, -e	month
morgen	tomorrow
morgens	in the morning
das **Museum**, die Museen	museum
die **Museumsinsel**, -n	Museums' Island
der **Nachmittag**, -e	afternoon
die **Nacht**, ʺe	night
Gute Nacht!	Good night!
die **Natur**	nature
naturwissenschaftlich	scientific, of natural history (adj)
nehmen [er nimmt] + A	to take sth
Wir nehmen das Zimmer.	We take the room.
niemand	nobody
normal	normal
nötig	necessary
ohne	without
Kaffee ohne Milch	black coffee (lit.: coffee without milk)
öffnen [er öffnet] (+ A)	to open sth
Ich öffne die Tür.	I open the door.
Das Museum öffnet um 9 Uhr.	The museum opens at 9 AM.
die **Öffnungszeit**, -en	opening times
die **Oper**, -n	opera
die **Ordnung**	order
Wir bringen das in Ordnung.	We will take care of this.
sich **orientieren** (reflexiv)	to find one's way (reflexive)
sich in einer Stadt orientieren	to find one's way in a city
der **Park**, -e/-s	park

long	largo
lent	lentamente
aliment	el alimento, -s
vide	vacío
dernier	último
le dernier mot	la última palabra
cher	querido
chère Petra/cher Charles	querida Petra, querido Karl
si situer, se trouver	yacer, estar
L'hôtel se trouve au centre de Munich.	El hotel está en el centro de Munich.
plusieurs	múltiples
J'ai plusieurs problèmes.	Tengo múltiples problemas.
rapporter qqch	registrar
rapporter un problème	registrar, notificar un problema
lait	la leche
minibar	el minibar, -es
minute	el minuto, -s
midi	el mediodía, -s
moment	el momento, -s
Un moment, svp. !	¡Un momento!
en ce moment	ahora mismo, por ahora
mois	el mes, -es
demain	mañana
le matin	por la mañana
musée	el museo, los museos
Ile des Musées	la Isla de los Museos (Berlín)
après-midi	la tarde, -s
nuit	la noche, -s
Bonne nuit !	¡Buenas noches!
nature	la naturaleza
d'histoire naturelle	científico
prendre qqch	tomar, él toma
Nous prenons la chambre.	Tomamos la habitación.
(ne …) personne	nadie
normal	normal
nécessaire	necesario
sans	sin
café noir (sans lait)	café sin leche
ouvrir qqch; ouvrir	abrir
J'ouvre la porte.	Abro la puerta.
Le musée ouvre à 9 heures.	El museo abre a las 9.
heures de l'ouverture	el horario de apertura, -s
opéra	la ópera, -s
ordre	el orden
Nous réglons cela.	Lo ponemos en orden/ lo solucionamos.
s'orienter (réflexif)	orientarse
s'orienter dans une ville	orientarse en una ciudad
parc	el parque, -s

parken	to park (car)
der **Parkplatz**, ¨e	parking lot
die **Post**, -	post
die **Postleitzahl**, -en	postal code
das **Programm**, -e	programme
der/das **Prospekt**, -e	prospect
das **Quadratmeter**, -	square meter
das **Radio**, -s	radio
das **Rathaus**, ¨er	town hall
die **Raumsonde**, -n	space probe
die **Rechtschreibung**	spelling
regieren	to rule, to run
Das Verb regiert im Satz.	The verb rules in the sentence.
Der Bürgermeister regiert im Rathaus.	The mayor runs the town hall.
reservieren + A	to reserve sth
einen Tisch reservieren	to reserve a table
das **Restaurant**, -s	restaurant
das **Rezept**, -e	recipe
der **Rezeptionist**, -en	receptionist
die **Sammlung**, -en	collection
der **Satelliten-Fernseher**, -	satellite TV
die **Sauna**, -s	sauna
schlafen [er schläft]	to sleep
schließen (+ A)	to close sth; to close
Ich schließe die Tür.	I close the door.
Das Museum schließt um 19 Uhr.	The museum closes at 7 PM.
der **Schlüssel**, -	key
schmal	narrow
schmutzig	dirty
schnell	quick, rapide
der **Schüler**, -	pupil, schoolchild
die **Schülerkarte**, -n	pupils' ID card
das **Schwimmbad**, ¨er	swimming pool
das **Segelschiff**, -e	sailing ship
die **Sehenswürdigkeit**, -en	monument, landmark object of interest
die **Sekunde**, -n	second
selbst	oneself (myself, yourself etc.)
Sehen Sie selbst.	See it for yourself.
senden [er sendet] + A	to send sth
eine E-Mail senden	to send an email
der **Sessel**, -	armchair
sofort	immediately
spazieren gehen	to go for a walk
Ich gehe spazieren.	I am going for a walk.
der **Spaziergang**, ¨e	walk
die **Spezialität**, -en	speciality
das **Spezialitätenrestaurant**, -s	speciality restaurant
die **Staatsangehörigkeit**, -en	nationality

Chapitre 3   Capítulo 3

Chapitre 3	Capítulo 3
se garer	aparcar
parking	la plaza de aparcamiento, -s
poste	el correo, -s
code postal	el código postal, -s
programme	el programa, -s
prospectus	el prospecto, -s
mètre carré	el metro cuadrado, -s
radio	la radio, -s
mairie	el ayuntamiento, -s
sonde spatiale	la sonda espacial, -s
ortographe	la escritura correcta (alemana)
régir, régner, diriger	regir
Le verbe régit la phrase.	El verbo rige la frase.
Le maire dirige la mairie.	El alcalde rige en el ayuntamiento.
réserver qqch	reservar
réserver une table	reservar una mesa
restaurant	el restaurante, -s
recette	la receta, -s
réceptionniste	el recepcionista, -s
collection	la colección, -es
télévision satellite	la televisión por satélite, -es
sauna	la sauna, -s
dormir	dormir
fermer qqch; fermer	cerrar
Je ferme la porte.	Cierro la puerta.
Le musée ferme à 19 heures.	El museo cierra a las 19.
clé	la llave, -s
étroit	delgado, estrecho, angosto
sale	sucio
rapide, vite	rápido
élève	el escolar, -s
carte de réductions (pour jeunes de moins de 18 ans)	la tarjeta escolar, -s
piscine	la piscina, -s
bateau à voile	el barco de vela, -s
monument	monumento, curiosidad turística
seconde	el segundo, -s
soi-même	mismo
Regardez vous-même.	Vea por usted mismo.
envoyer qqch	enviar, él envía
envoyer un e-mail	enviar un e-mail
fauteuil	la butaca, -s
tout de suite	enseguida
faire une promenade	ir de paseo
Je vais faire une promenade.	Voy de paseo.
promenade	el paseo, -s
spécialité	la especialidad, -es
restaurant de spécialités	el restaurante de especialidades, -s
nationalité	la nacionalidad, -es

stabil	stable
der **Stadtplan**, ¨e	city map
das **Stadtzentrum**, die Stadtzentren	city centre
der **Stern**, -e	star
die **Straße**, -n	street
die **Studentenkarte**, -n	students' card
die **Stunde**, -n	hour (60-minute-interval)
der **Supermarkt**, ¨e	supermarket
die **Tageskarte**, -n	dayticket
die **Tageszeit**, -en	time of the day
täglich	daily
tagsüber	during the day
die **Tasse**, -n	cup
die **Technik**, -en	technics
technisch	technical
eine technische Erfindung	technical invention
der **Tee**	tea
das **Theater**, -	theater
das **Theaterstück**, -e	theater play
die **Tiefgarage**, -n	subterranean garage
das **Toilettenpapier**, -e	toilet paper
die **Touristeninformation**	tourists' information centre
die **Tür**, -en	door
tschüss, tschüs	Goodbye! Bye!
übermorgen	day after tomorrow
übernachten [er übernachtet]	to stay overnight
Er übernachtet im Hotel/in Zimmer 12.	He is staying in a hotel/in room 12.
die **Uhr**, -en	clock, hour, o'clock
die **Uhrzeit**, -en	time
um	at (time)
Das Museum öffnet um 10 Uhr.	The museum opens at 10 o'clock.
unbedingt	absolutely
Ich brauche unbedingt eine Minibar.	I absolutely need a minibar.
uninteressant	uninteresting
unternehmen [er unternimmt] + A	to undertake sth
Ich möchte etwas unternehmen.	I'd like to undertake something.
unterschreiben + A	to sign sth
ein Formular unterschreiben	to sign a form
die **Unterschrift**, -en	signature
unterwegs	on the way
unwichtig	unimportant
die **Verabschiedung**, -en	farewell, leave-taking
voll	full
von … bis …	from … to … (time)
von Montag bis Freitag	from Monday to Friday
vorgestern	day before yesterday
der **Vormittag**, -e	morning, forenoon
wann?	when?

Français	Español
stable	estable
plan de la ville	el plano de la ciudad, -s
centre-ville	el centro de la ciudad, -s
étoile	la estrella, -s
rue	la calle, -s
carte d'étudiant	el carnet de estudiante, -s
heure (60 minutes)	la hora, -s
supermarché	el supermercado, -s
ticket de jour	el menú, -s
moment de la journée	la hora del día, -s
chaque jour, tous les jours	diario
dans la journée	durante el día
tasse	la taza, -s
technique (nom)	la técnica, -s
technique (adj.)	técnica
une invention technique	una invención técnica
thé	el té
théâtre	el teatro, -s
pièce de théâtre	la pieza teatral, -s
parking souterrain	el garaje subterráneo, -s
papier toilette	el papel de wáter, -es
office du tourisme	la información turística
porte	la puerta, -s
Au revoir ! Salut !	chao
après-demain	pasado mañana
loger, passer la nuit	pernoctar
Il loge à l'hôtel/dans la chambre 12.	Él pernocta en el hotel/en la habitación 12.
heure, montre, horloge	la hora, -s, el reloj, -es
heure	la hora, -s
à	entorno, alrededor, a las (hora)
Le musée ouvre à 10 heures.	El museo abre a las 10
absolument	necesariamente
J'ai absolument besoin d'un minibar.	Necesito absolutamente un minibar.
inintéressant	sin interés
entreprendre qqch	llevar algo a cabo, hacer alguna actividad
Je voudrais entreprendre quelque chose.	Me gustaría llevar algo a cabo.
signer qqch	firmar
signer un formulaire	firmar un formulario
signature	la firma, -s
en balade	en camino
pas/peu important	poco importante
adieux	la despedida, -s
plein	lleno
de … à …	de … a …
du lundi au vendredi	de lunes a viernes
avant-hier	anteayer
matinée	la mañana
quand ?	¿cuándo?

das **WC**	toilet
der **Wecker**, -	alarm clock
weg	gone
Der Schlüssel ist weg.	My key is gone.
weich	soft
weiter-	here: other
weitere Präpositionen	other prépositions
wen? (Akkusativ von „wer?")	whom? (acc.)
wenig	little, a few
wenn	if
wie lange?	(for) how long?
Wie lange möchten Sie bleiben?	How long would you like to stay?
wie viel?	how much?
Wie viel kostet eine Eintrittskarte?	How much is the admission fee?
das **Wiedersehen**, -	goodbye
Auf Wiedersehen!	Goodbye!
die **Windmühle**, -n	wind mill
der **Wunsch**, ̈e	desire, wish
wünschen	to wish
Sie wünschen?	What would you like?
zahlen	to pay
zeigen + A	to show sth
das **Zentrum**, die Zentren	centre
die **Zimmeranzahl**, -en	number of rooms
die **Zimmerausstattung**, -en	room equipment
die **Zimmernummer**, -n	room number
der **Zimmersafe**, -s	room safe
der **Zimmerschlüssel**, -	key to the room
der **Zug**, ̈e	train
zwischen	between
Die Zimmer kosten zwischen 60 und 80 Euro.	The rooms cost between 60 and 80 euros.

▧ Kapitel 3: Teil B

▧ Chapter 3: Part B

bekanntest-	the most well-kown
die bekanntesten Bilder	the most well-known paintings
belegen + A	to occupy sth
Den ersten Platz belegt Berlin.	Berlin occupies the first place. Berlin is on top of the list.
berühmtest-	the most famous
das berühmteste Museum	the most famous museum
der **Besucher**, -	visitor
das **Elektrogerät**, -e	electrical device
europäisch	European
fehlend-	missing
Ergänzen Sie die fehlenden Informationen.	Complete the missing information.
die **Firma**, die Firmen	firm, company
der **Hersteller**, -	producer
insgesamt	in total

toilettes	el WC
réveil	el despertador, -es
parti, perdu	fuera
Le clé est perdue/a disparu.	La llave no está.
doux	blando
ici : autre	más, siguientes, adicionales
d'autres prépositions	más preposiciones
qui ? (accusatif de « wer ? »)	¿a quién?
peu	poco(s)
si	cuando, si
(pour) combien de temps ?	¿cuánto tiempo?
Combien de temps voudriez-vous rester ?	¿Cuánto tiempo se quiere quedar?
combien ?	¿cuánto?
Combien côute-t-il un biller d'entrée ?	¿Cuánto cuesta una entrada?
revoir	reencuentro, volver a verse
Au revoir !	¡Hasta la vista!
moulin à vent	el molino de viento, -s
désir, souhait	el deseo, -s
souhaiter	desear
Que souhaitez-vous ?	¿Desea usted?
payer	contar
montrer qqch	mostrar
centre	el centro, los centros
nombre des chambres	el número de habitaciones, -s
équipement des chambres	el mobiliario de la habitación, -s
numéro de la chambre	el número de habitación, -s
coffre-fort de chambre	la caja fuerte de la habitación, -s
clé de la chambre	la llave de la habitación, -s
train	el tren, -es
entre	entre
Les chambres coûtent entre 60 et 80 euros.	La habitación cuesta entre 60 y 80 euros.

▧ Chapitre 3 : Partie B

▧ Capítulo 3: Parte B

le plus connu	conocido/a
les tableaux les plus connus	las imágenes más conocidas
occuper qqch	ocupar
Berlin occupe la première place.	Berlín ocupa el primer lugar.
le plus célèbre	famoso, a
le musée le plus célèbre	el museo más famoso
visiteur	el visitante
appareil électrique	el aparato eléctrico, -s
européen	europeo
manquant	faltantes
Complétez les nformation manquantes.	Complete la información que falta.
entreprise, companie	la empresa, las empresas
producteur	el productor, -es
au total	en total

interessieren + A	to interest sb
Welche Stadt interessiert Sie?	Which town interests you?
international	international
historisch	historical
die **Landeshauptstadt**, ¨e	region's (bundesland's) capital
der **Lastkraftwagen,** -	truck
der **Liter**, -	liter
mehr	more
München bietet noch viel mehr.	Munich has much more to offer.
die **Mitte**	middle
der **Norden**	north
der **Nordosten**	north-east
der **Nordwesten**	north-west
der **Osten**	east
der **Platz**, ¨e	place, square
raten [er rät]	here: to guess
romantisch	romantic
der **Süden**	south
der **Südosten**	south-east
der **Südwesten**	south-west
umfassen + A	to comprise, to comprehend sth
Die Sammlung umfasst 900 Bilder.	The collection comprises 900 paintings.
der **Westen**	west
das **Wirthaus**, ¨er	inn
zu	to, for
zum Beispiel	for example

▮ Kapitel 4: Teile A, C und D   ▮ Chapter 4: Parts A, C and D

das **Abendbrot**, -e	dinner
die **Abneigung**, -en	aversion
Amerika	America
die **Ananas**, -se	ananas
die **Anweisung**, -en	instruction
der **Apfel**, ¨	apple
der **Apfelkuchen**, -	apple pie
der **Apfelsaft**, ¨e	apple juice
der **Apfelwein**, -e	cider
der **Appetit**, -e	appetite
Guten Appetit!	Enjoy your meal!
die **Aprikose**, -n	apricot
ausgezeichnet	excellent
die **Auswahl**, -en	choice
Die Auswahl ist schwer.	The choice is difficult.
auswählen	to choose, to pick
Wählen Sie aus.	Choose.
die **Backware**, -n	pastries
bald	soon

Chapitre 3   Capítulo 3

intéresser qqn	interesar
Quelle ville vous intéresse ?	¿Qué ciudad le interesa?
international	internacional
historique	histórico, a
capitale d'une région (d'un « Bundesland »)	la capital del estado, -es
camion, poids lourd	el camión, -es
litre	el litro, -s
plus, encore	más
Munich offre bien d'autres choses.	Munich ofrece todavía mucho más.
milieu	el medio
Nord	el norte
Nord-Est	el noreste
Nord-Ouest	el noroeste
Est	el este
place	el lugar, -es
ici : deviner	aconsejar
romantique	romántico
Sud	el sur
Sud-Est	el sureste
Sud-Ouest	el suroeste
comprendre, inclure qqch	comprender, incluir
La collection comprend 900 tableaux.	La colección comprende 900 cuadros.
Ouest	el oeste
auberge	Mesón, -es, casa de comidas, -s
à, chez	a, hacia
par exemple	por ejemplo

▓ Chapitre 4 : Partie A, C et D   ▓ Capítulo 4: Partes A,C y D

dîner	la cena, -s
aversion	la aversión, -es
Amérique	América
ananas	la piña, -s
instruction	la instrucción, -es
pomme	la manzana, -s
tarte aux pommes	el pastel de manzana, -es
jus de pomme	el zumo de manzana, -s
cidre	la sidra, -s
appétit	el apetito, -s
Bon appétit !	¡Buen provecho!
abricot	el melocotón, -es
excellent	excelente, magnífico
choix	la elección, -es
Il y a l'embarras du choix.	La elección es difícil.
sélectionner, choisir	escoger
Choisissez.	Escoja usted
pâtisserie	la bollería,
bientôt	pronto

Bis bald!	See you soon! (lit.: Until soon.)
die **Banane**, -n	banana
der **Baum**, ⸚e	tree
der **Becher**, -	pot, plastic cup
belegen + A	occupy sth
den ersten Platz belegen	to occupy the first place, to be on top of the list
beliebt	popular
besonders	particularly, especially
das **Besteck**, -e	cutlery
bestehen aus etw.	to consist of sth
Das Frühstück besteht aus Brot, Marmelade und Butter.	The breakfast consists of bread, marmelade and butter.
bestellen + A	to order sth
der **Betrieb**, -e	firm, company
bevorzugen + A	to prefer sth
die **Birne**, -n	peer
die **Bohnen** (Pl.)	beans
braten [er brät] + A	to roast sth
das **Brot**, -e	bread
das **Büffet**, -s	buffet
das **Bund**, ⸚e	bunch
das **Bundesland**, ⸚er	region (in Germany and in Austria)
die **Butter**	butter
der **Champagner**, -	champaign
dich (Akkusativ von „du")	you (accusative for "du")
die **Dose**, -n	tin, can
dreimal	three times
durch	by
Ersetzen Sie das Nomen durch ein Verb.	Replace the noun by a verb.
das **Ei**, -er	egg
einkaufen + A	to buy sth
Nahrungsmittel einkaufen	to buy food
der **Einwohner**, -	inhabitant (of a town)
das **Elektrogerät**, -e	electrical device
die **Erbse**, -n	pea
die **Erdbeere**, -n	strawberry
die **Erdbeersahnetorte**, -n	strawberry cake
das **Erfrischungsgetränk**, -e	refreshing drink
die **Ernährung**	nutrition
ersetzen + A	to replace sth
Ersetzen Sie das Nomen durch ein Verb.	Replace the noun by a verb.
erst (mal)	first
Ich nehme erst mal einen Tee.	First, I'll take a tea.
das **Essen**, -	food, meal
die **Essgewohnheit**, -en	eating habits
der **Essig**, -e	vinegar
der **Esslöffel**, -	table spoon
euch (Akkusativ von „ihr")	you (accusative for "ihr")

A bientôt !	¡Hasta pronto!
banane	la banana, -s
arbre	el árbol, -es
coupelle, pot	el vaso, cazuelita, -s
occuper qqch	ocupar
occuper la première place	ocupar el primer lugar
aimé, populaire	preferido
particulièrement	especial
couvert	el cubierto, -s
consister de qqch	consistir en
Le petit déjeuner consiste de pain, confiture et beurre.	El desayuno consiste en mermelada y mantequilla.
commander qqch	pedir, ordenar
usine	el funcionamiento
favoriser, préférer qqch	preferir, favorecer
poire	la pera, -s
haricots	las judías
rôtir qqch	asar, él asa
pain	el pan, -es
buffet	el buffet, -
bouquet (garni)	el manojo, -s
région (en Allemagne et en Autriche)	el estado federal, -s
beurre	la mantequilla
champagne	el champán, -
te (accusatif de « du »)	te (segunda persona singular acusativo)
boîte	la lata, -s
trois fois	tres veces
par	a través, por
Remplacez le nom par un verbe.	Sustituya el nombre por un verbo.
oeuf	el huevo, -s
faire les courses, acheter qqch	comprar
acheter de la nourriture	comprar comida/alimentos
habitant (d'une ville)	el habitante, -s
appareil électrique	el aparato eléctrico, -s
petits pois	el guisante, -s
fraises	la fresa, -s
fraisier	el pastel de fresa, -es
boisson rafraichissante	la bebida refrescante, -s
nutrition	la alimentación
remplacer qqch	sustituir
Remplacez le nom par un verbe.	Sustituya el nombre por un verbo.
d'abord	primera
D'abord, je prends un thé.	Tomo por primera vez un té.
la cuisine, les plats	la comida, el comer
habitude culinaire	la costumbre alimenticia, -s
vinaigre	el vinagre, -s
cuillère à soupe	la cuchara sopera, -s
vous (accusatif de « ihr »)	os (segunda persona plural en acusativo)

German	English
fein	fine
feine Erbsen	(extra) fine peas
fett	fat
fettes Fleisch	fat meat
der **Fisch**, -e	fish
das **Fischgericht**, -e	fish dish
die **Flasche**, -n	bottle
das **Fleisch**	meat
die **Forelle**, -n	trout
frisch	fresh
Das Brot ist frisch.	The bread is fresh.
Der Orangensaft ist frisch gepresst.	The orange juice is freshly pressed.
der **Frischkäse**, -	fresh cheese
die **Frucht**, ̈e	fruit
früh	early
früher	in the past, formerly
das **Frühstücksangebot**, -e	breakfast menu
das **Frühstücksbüfett**, -s	breakfast buffet
die **Gabel**, -n	fork
die **Gastfamilie**, -n	host family
der **Gegensatz**, ̈e	contrast
im Gegensatz zu Europa	contrary to Europe
gehen	to go
ins Restaurant gehen	to go to a restaurant
gekocht	boiled
gekochtes Ei	boiled egg
die **Gemeinsamkeit**, -en	similarity
gemischt	mixed
das **Gemüse** (Sg.)	vegetables
der **Gemüsehändler**, -	vegetable seller
genug	enough
gepresst	pressed
das **Gericht**, -e	dish
das **Geschirr**	crockery
gesund	healthy
gesunde Ernährung	healthy nutrition
gesund leben	to live healthy
das **Getränk**, -e	drink
das **Glas**, ̈er	glass
das **Gläschen**, -	little glass
Gleichfalls!	The same to you!
das **Goldbärchen**, -	type of candy
das **Gramm**, (-e)	gramm
200 Gramm Butter	200 gramms of butter
grün	green
die **Gruppe**, -n	group
der **Hamburger**, -	hamburger
der **Haselnuss**, ̈e	hazelnut

fin, délicieux	fino
petits pois extra fins	guisantes finos
gras	grasa
viande grasse	carne grasa
poisson	el pescado, -s
plat à base de poisson	el plato de pescado
bouteille	la botella, -s
viande	la carne
truite	la trucha, -s
frais	fresco, recién hecho
Le pain est frais.	El pan está recién hecho.
Le jus d'orange est fraichement pressé.	El zumo de naranja está recién hecho.
fromage frais	el queso fresco, -s
fruit	el fruto, -s
tôt	pronto
avant, jadis	más pronto
la carte du petit déjeuner	la oferta de desayuno, -s
buffet du petit déjeuner	el buffet de desayuno, -s
fourchette	el tenedor, -es
famille d'acceuil	la familia huésped, -s
contraire	el contrario, -s
au contraire de l'Europe	al contrario que en Europa
aller	ir a pie
aller au restaurant	ir al restaurante
cuit	cocido
oeuf dur	huevo cocido
similitude	característica común, -s
mélangé	mixto
légumes	la verdura
marchand de légumes	el verdulero, -s
assez	suficiente
pressé	exprimido
plat	el plato, -s
vaisselle	la vajilla, -s
sain	sano
alimentation saine	alimentación sana
vivre sainement	vivir sano
boisson	la bebida, -s
verre	el vaso, -s
petit verre	el vasito, -s
De même ! A vous aussi !	¡igualmente!
type de bonbons	el osito de gominola
gramme	el gramo, -s
200 grammes de beurre	200 gramos de mantequilla
vert	verde
groupe	el grupo, -s
hamburger	la hamburguesa, -s
noisette	la avellana, -s

(ich) hätte gern + A	(I) would like sth
Ich hätte gern einen Kräutertee.	I would like a herbal tea.
das **Hauptgericht**, -e	main dish
die **Hauptmahlzeit**, -en	main/principal meal
das **Heimatland**, ⁼er	home country
heiß	hot
herzlich	cordial
Herzlichen Dank.	Thank you very much.
die **Hochschule**, -n	university
der **Honig**	honey
das **Huhn**, ⁼er	chicken
das **Hühnerfilet**, -s	chicken fillet
der **Hunger**	hunger
Ich habe Hunger.	I am hungry.
ihn (Akkusativ von „er")	him (accusative for "er")
interessieren + A	to interest sb
Die Ausstellung interessiert mich.	The exhibition interests me.
der/das **Joghurt**, -(s)	yoghurt
jung	young
der **Kaffeelöffel**, -	coffee spoon
die **Karotte**, -n	carrot
der **Käse**	cheese
die **Käseauswahl**, -en	cheese selection
der **Kasten**, ⁼	metal/wooden box
das **Kilo**, -s	kilo
die **Kirsche**, -n	cherry
der **Kiwi**, -s	kiwi
der **Knoblauch**	garlic
das **Kochen**	(the action of) cooking
köstlich	delicious
der **Kräutertee**, -s	herb tea
der **Kuchen**, -	cake
das **Küchenmesser**, -	kitchen knife
der **Kunde**, -n	client (m)
die **Kundin**, -nen	client (f)
der **Lachs**, -e	salmon
leben	to live
gesund leben	to live healthy
in England leben	to live in England
das **Lebensmittel**, -	food
die **Leberwurst**, ⁼e	liver sausage
lecker	delicious
letzt-	last
letztes Jahr	last year
der **Likör**, -e	liqueur
die **Limette**, -n	lime
die **Linse**, -n	lentil
der **Löffel**, -	spoon

(je) voudrais qqch	(yo) quisiera
Je voudrais une tisane.	Quisiera un té de hierbas.
plat principal	el plato principal, -s
repas principal	la comida principal, -s
pays d'origine	el país de origen, la patria
chaud, brûlant	caliente
cordial	afectuoso
Merci beaucoup/bien.	Muchas gracias.
université	el instituto, -s
miel	la miel
poulet	el pollo, -s
blanc de poulet	el filete de pollo, -s
faim	el hambre
J'ai faim.	Tengo hambre.
le (accusatif de « er »)	lo (tercera persona singular en acusativo)
intéresser qqch	interesar a alguien
L'exposition m'intéresse.	La exposición me interesa.
yaourt	el yogur, -es
jeune	joven
cuillère à café	la cucharilla de café, -s
carotte	la zanahoria, -s
fromage	el queso, -s
sélection de fromage	la selección de quesos
caisse	la caja (de cervezas), -s
kilo	el kilo, -s
cerise	la cereza, -s
kiwi	el kiwi, -s
ail	el ajo
l'action de cuisiner	el cocinar
délicieux	caro, costoso
tisane	el té de hierbas
tarte, gâteau	el pastel, -es
couteau de cuisine	el cuchillo del pastel, -s
client	el cliente, -s
cliente	la cliente, -s
saumon	el salmón, -es
vivre	vivir
vivre sainement	vivir sano
vivre en Angleterre	vivir en Inglaterra
nourriture	el alimento, -s
saucisse de foie	el paté de hígado, -s
délicieux	sabroso, rico
dernier	último
l'an dernier	el último año
liqueur	el licor
lime	la lima, -s
lentille	la lenteja, -s
cuillère	la cuchara, -s

die **Mahlzeit**, -en	meal
mal	time(s)
einmal, fünfmal, manchmal	once, five times, sometimes
manchmal	sometimes
die **Mango**, -s	mango
die **Margarine**	margarine
die **Marmelade**, -n	marmelade
das **Maß**, -e	measure
mehr	more
Ich möchte keinen Wein mehr.	I do not want any more wine.
die **Meinung**, -en	opinion
die **Melone**, -n	melon
die **Menge**, -n	quantity
das **Messer**, -	knife
mich (Akkusativ von „ich")	me (accusative for "ich")
das **Milchprodukt**, -e	dairy
das **Mineralwasser**, -	mineral water
mischen	to mix
den Wein mit Wasser mischen	to mix wine with water
das **Mittagessen**, -	lunch
die **Möbel** (Pl.)	furniture
mögen [er mag] + A	to like sth/sb
die **Möhre**, -n	carrot
die **Nachspeise**, -n	dessert
das **Nahrungsmittel**, -	food, aliment
natur	natural, plain
Joghurt natur	plain yoghurt
die **Nektarine**, -n	nectarine
nett	nice
ein netter Mensch	a nice person
nie	never
normalerweise	normally
das **Normalfrühstück**, -e	normal breakfast
die **Nougatpralinen** (Pl.)	nougat pralines
die **Nuss**, ̈e	nut
der **Oberbegriff**, -e	generic term
das **Obst**	fruit
der **Obstsalat**, -e	fruit salad
das **Öl**, -e	oil
die **Orange**, -n	orange
der **Orangensaft**, ̈e	orange juice
(ein) **paar**	a few
ein paar Orangen	a few oranges
die **Packung**, -en	package, pack
die **Party**, -s	party
passend	exact
Haben Sie das Geld passend?	Do you have the exact amount?

repas	la hora de la comida, -s
fois	vez
une fois, cinq fois, quelques fois	una vez, cinco veces, a veces
quelques fois	a veces
mangue	el mango, -s
margarine	la margarina
confiture	la mermelada, -s
mesure	la medida (un litro de cerveza en Baviera)
plus	más
Je ne veux plus de vin.	No quiero más vino.
opinion	la opinión, -es
melon	el melón, -es
quantité	la cantidad, -es
couteau	el cuchillo, -s
me (accusatif de « ich »)	me (primera persona singular en acusativo)
produit laitier	el producto lácteo, -s
eau minérale	el agua mineral, -s
mélanger	mezclar
mélanger le vin avec de l'eau	mezclar agua con vino
déjeuner	el comida de mediodía, -s
meubles	los muebles
aimer qqch/qqch	gustar
carotte	la zanahoria, -s
dessert	el postre, -s
nourriture, produit alimentaire	el alimento, -s
nature	natural
yaourt nature	el yogur natural
nectarine	la nectarina, -s
gentil, sympatique	simpático
une personne sympatique, quelqu'un de sympatique	un tipo simpático
jamais	nunca
normalement	normalmente
petit déjeuner normal/habituel	el desayuno normal
pralinés au nougat	los bombones de nougat
noix	la nuez, -ces
terme générique	el prefacio, -s
fruit	la fruta
salade de fruits	la ensalada de fruta, -s
huile	el aceite
orange	la naranja, -s
jus d'orange	el zumo de naranja, -s
quelques	un par
quelques oranges	un par de naranjas
paquet	el empaquetado, -s
fête	la fiesta, -s
exact	justo
Avez-vous l'appoint ?	¿Tiene el dinero justo?

das **Personal**	personal
die **Pfanne**, -n	pan
der **Pfeffer**	pepper
die **Pflaume**, -n	plum
das **Pfund**	pound (0,5 kg)
die **Pizza**, -s	pizza
der **Platz**, "e	place
Auf Platz 1 stehen die Äpfel.	Apples are on top of the list.
die **Pommes frites** (Pl.)	chips, French fries
präferieren + A	to prefer sth (rarely used verb)
die **Pralinen** (Pl.)	pralines
Prost!	Cheers!
das **Prozent**, -e	percent
der **Quark**	cottage cheese
raten [er rät]	here: to guess
der **Ratschlag**, "e	advice
die **Rechnung**, -en	bill, check
reichhaltig	rich (food)
richtig	here: really
Ich habe richtigen Hunger.	I am really hungry.
das **Rind**, -er	beef
der **Rindergulasch**	beef gulash
roh	uncooked, raw
die **Rolle**, -n	role
der **Rotkohl**, -e	red cabbage
das **Rotkraut**	red cabbage
der **Rotwein**, -e	red wine
ruhig	calm, silent, peaceful
das **Rührei**, -er	scrambled egg
der **Rum**	rum
der **Saft**, "e	juice
die **Sahne**	cream
die **Sahnetorte**, -n	cheese cake
die **Salami**, -s	salami
der **Salat**, -e	salad
das **Salz**	salt
salzig	salted
die **Salzkartoffel**, -n	boiled potato
die **Sardine**, -n	sardine
sauer/saur-	sour
Die Milch ist sauer.	The milk is sour.
Ich mag keine saure Milch.	I don't like sour milk.
scharf	hot, spicy
scharfe Salami	spicy salami
schälen + A	to peal sth
die **Scheibe**, -n	slice
zwei Scheiben Brot	two slices of bread
der **Schinken**, -	ham

personnel	el personal
poêle	la sartén, -es
poivre	la pimienta
prune	la ciruela, -s
livre (0,5 kg)	una libra (de peso)
pizza	la pizza, -s
place	el lugar, -es
A la première place se trouvent les pommes.	En primer lugar están las manzanas.
(pommes) frites	las patatas fritas
préférer qqch (mot rare)	preferir
pralinés	los bombones
Santé !	¡salud!
pour cent	el porcentaje, -s
fromage blanc	requesón, quesillo
ici : deviner	aquí: advinar, él adivina
conseil	el consejo, -s
addition	la cuenta, -s
copieux	amplio, abundante
ici : vraiment	ciertamente, verdadero
J'ai vraiment faim.	Tengo verdadera hambre.
boeuf	el buey, -es
goulash de boeuf	el gulasch de buey
cru	crudo
rôle	el papel, -s
chou rouge	la col lombarda (hortaliza)
chou rouge	la col lombarda (cortada)
vin rouge	el vino tinto, -s
calme, tranquille, paisible	tranquilo
ouefs brouillés	huevos revueltos
rum	el ron
jus	el zumo, -s
crème	la nata
tarte à la crème	el pastel de nata, -es
salami	el salami, -
salade	la ensalada, -s
sel	la sal
salé	salado
pommes de terre au sel	la patata salada, -s
sardine	la sardina, -s
aigre	agrio, a
Le lait a tourné.	La leche está agria.
Je n'aime pas le lait qui a tourné.	No me gusta la leche agria.
piquant	picante
salami piquant	el salami picante
éplucher qqch	pelar
tranche	la rodaja, pedazo, -s
deux tranches de pain	dos pedazos de pan
jambon	el jamón, -es

die **Schlagsahne**	whipped cream
schmecken	to taste
Die Suppe schmeckt ausgezeichnet.	The soup tastes excellent.
schneiden [er schneidet] + A	to cut sth, to chop sth
der **Schnittkäse**	cheese
das **Schnitzel**, -	cutlet
Wiener Schnitzel	(Wiener) schnitzel
die **Schokolade**, -n	chocolate
schrecklich	horrible, terrible
die **Schüssel**, -n	bowl
das **Schwarzbrot**, -e	black bread
der **Schweinebraten**, -	roast pork
die **Schweinslende**, -n	pork tenderloin
schwer	difficult, heavy
Die Auswahl ist schwer.	The choice is difficult.
selten	rarely
seltsam	curious
der **Service**, -s	service
servieren + A	to serve sth/sb
die **Serviette**, -n	napkin
sonst	otherwise, else
Sonst noch etwas?	Anything else? (in a shop)
die **Spaghetti** (Pl.)	spaghetti
die **Speisekarte**, -n	menu
die **Spitze**	top
an der Spitze liegen	to be on top (of a list)
das **Steak**, -s	steak
der **Steinbutt**, -e	turbot
das **Stück**, -e	piece
zwei Stück Kuchen	two pieces of cake
die Bananen in kleine Stücke schneiden	to cut the bananas into small pieces
die **Suppe**, -n	soup
der **Suppenteller**, -	soup plate
süß	sweet
die **Süßigkeit**, -en	sweets
die **Sympathie**, -n	sympathy
die **Tafel**, -n	here: bar (of chocolate)
der **Teller**, -	plate
das **Toastbrot**, -e	toast bread
toll	great, phantastic
ein tolles Büffet	a phantastic buffet
ein toller Mensch	a great person
die **Tomate**, -n	tomato
das **Tomatenmark**	tomato paste
die **Tomatensuppe**, -n	tomato soup
der **Topf**, ¨e	pot
die **Torte**, -n	cake

crème Chantilly	la nata líquida
avoir bon goût	saber, estar sabroso
La soupe est excellente/a très bon goût.	La sopa sabe estupendamente.
couper qqch	cortar
fromage (mou, doux)	queso rallado
escalope	la escalopa, el filete
escalope viennoise/panée	la escalopa milanesa
chocolat	el chocolate, -s
affreux, horrible	horroroso
saladier	la ensaladera, -s
pain noir	el pan negro, -es
rôti du porc	el asado de cerdo, -s
filet de porc	el medallón de cerdo, -es
difficile, lourd	difícil
Le choix est difficile.	La elección es difícil.
rare, rarement	raro
curieux	raramente
service	el servicio, -s
servir qqch/qqn	servir
serviette	la servilleta, -s
sinon, autrement	algo más, además
Et avec ça ? (au magasin)	¿Algo más?
spaghettis	los espaguetis
menu, carte	el menú, -s
sommet	la cima, punta
occuper la première place	en la cima/ encima hay
steak	el steak, el filete, -s
turbot	el rodaballo, -s
pièce, morceau	el trozo, -s
deux morceux de gâteau	dos trozos de pastel
couper les bananes en petits morceaux	partir el plátano en trocitos
soupe	la sopa, -s
assiette à soupe	el plato de sopa, -s
sucré	dulce
friandise	el dulce, -s
sympathie	la simpatía
ici : tablette (de chocolat)	la mesa, -s
assiette	el plato, -s
pain à griller, tartine	la tostada, -s
chouette	estupendo
un buffet chouette	un buffet estupendo
une personne chouette, quelqu'un de chouette	un tipo estupendo
tomate	el tomate, -s
purée de tomates	la marca de tomate
soupe aux tomates	la sopa de tomate, -s
casserole	la olla, -s
gâteau (à la crème)	la torta, -s, el pastel, -es

traditionell	traditional
die **Traube**, -n	grape
die **Tube**, -n	tube
die **Tüte**, -n	plastic bag
unfreundlich	unfriendly
ungenießbar	unenjoyable, uneatable
ungesund	unhealthy
uns (Akkusativ von „wir")	us (accusative for "wir")
der **Unterschied**, -e	difference
ursprünglich	originally
der **Vegetarier**, -	vegetarian (noun)
vegetarisch	vegetarian (adj)
die **Verpackung**, -en	packing, wrapping
das **Vollkornbrot**, -e	wholemeal bread
die **Vollmilchschokolade**, -n	milk chocolate
die **Vorliebe**, -n	preference
die **Vorspeise**, -n	starter
warm	warm
das **Wasser**, -	water
das **Wasserglas**, ̈er	water glass
der **Wein**, -e	wine
das **Weinglas**, ̈er	wine glass
die **Weinschorle**	wine with sparkling mineral water
die **Weintrauben** (Pl.)	wine grapes
weiß	white
das **Weißbrot**, -e	white bread
der **Weißwein**, -e	white wine
wie oft?	how often?
wirklich	really
Du lebst wirklich gesund!	You really live healthy!
die **Wurst**, ̈e	sausage
die **Wurstware**, -n	sausage goods
zart	fine, tender
zarte Pralinen	fine pralines
die **Zitrone**, -n	lemon
Zum Wohl!	Cheers! (when clinking glasses)
zur Zeit	at present, at the moment
der **Zucker**	sugar
zweimal	twice
die **Zwiebel**, -n	oignon

▥ Kapitel 4: Teil B   ▥ Chapter 4: Part B

ab	since
ab dem siebzehnten (17.) Jahrhundert	since the 17th century
die **Ahnung**, -en	idea
Ich habe keine Ahnung.	I have no idea.
anders	in another way, differently

traditionnel	tradicional
raisin	la uva, -s
tube	el tubo, -s
sachet plastique	la bolsa, -s
pas/peu sympathique	poco amistoso
immangeable, inbuvable	sin poderlo saborear, apreciar
mauvais pour la santé	insano
nous (accusatif de « wir »)	nos (primera persona plural en acusativo)
différence	la diferencia, -s
à l'origine	originalmente
végétarien (nom)	el vegetariano, -s
végétarien (adj.)	vegetariano
emballage	el envoltorio, -s
pain complet	el pan de semillas, -es
chocolat au lait	el chocolate con leche, -s
préférence	la preferencia, -s
hors d'oeuvre	los entrantes, -
chaud	caliente
eau	el agua, -s
verre à eau	el vaso de agua, -s
vin	el vino, -s
verre à vin	el vaso de vino, -s
vin avec de l'eau minérale gazeuse	el vino con gaseosa, -s
raisins de vin	las uvas de vino
blanc	blanco
pain blanc	el pan blanco, -es
vin blanc	el vino blanco, -s
combien de fois ?	¿cuán a menudo?
vraiment	Realmente
Tu vis vraiment sainement !	¡Vives realmente sano!
saucisse, saucisson	la salchicha, -s
charcuterie	el embutido, -s
doux, fondant	fino, tierno
pralinés fondants	bombones finos
citron	el limón, -es
Santé ! A la nôtre !	¡salud!
en ce moment	hasta ahora
sucre	el azúcar, -es
deux fois	dos veces
oignon	la cebolla, -s

▪ Chapitre 4 : Partie B   ▪ Capítulo 4: Parte B

depuis	desde
depuis le 17ième siècle	desde el siglo 17
idée	la idea, -s, el conocimiento, -s
Je n'ai aucune idée.	No tengo ni idea.
d'une autre façon	de otra forma

Argentinien	Argentina
arm	poor
Asien	Asia
danach	after that, afterwards
dazu (= hinzu)	to that, to it
die **Brühe**, -n	broth, stock
der **Champignon**, -s	mushroom (of Paris)
der/das **Curry**	curry
dünn	fine
enthalten [er enthält] + A	to contain sth
Pommes frites enthalten viel Fett.	Chips (Br.)/French fries (Am.) contain a lot of fat.
etwa	approximately
etwa 20 Minuten	approximately 20 minutes
Europa	Europe
das **Fett**, -e	fat (noun)
die **Form**, -en	form
in Form von Kartoffelchips	in form of chips/crisps
frittieren + A	to fry sth
das **Hauptnahrungsmittel**, -	main foodstuff
hinzu (= dazu)	to that, to it
die **Gans**, ̈e	goose
das **Gewürz**, -e	spice
das **Kaffeehaus**, ̈er	café
die **Kartoffelchips** (Pl.)	crisps (Br.) /chips (Am.)
die **Kartoffelscheibe**, -n	fine potato slice
der **Nachteil**, -e	inconvenience
die **Petersilie**, -n	parsley
der **Porree**, -s	leek
produzieren + A	to produce sth
pürieren + A	to smash sth
der **Safran**	safran
sauber	tidy, clean
sauber machen + A	to clean sth
die Champignons sauber machen	to clean the mushrooms
der **Seefahrer**, -	sailor
sondern	(not …) but
der **Streifen**, -	stripe, here: long slice
Venedig	Venice
vermengen + A	to mix sth
verschieden	various
auf verschiedene Weise	in various ways
waschen [er wäscht] + A	to wash sth
das **Weihnachten**, -	Christmas
zu Weihnachten	for Christmas
die **Weise**, -n	way
auf verschiedene Weise	in various ways
weltbekannt	world-famous

Chapitre 4

Capítulo 4

Argentine	Argentina
pauvre	pobre
Asie	Asia
après, et puis	después de
en plus	además, para ello
bouillon	el caldo, -s
champignon de Paris	el champiñón, -es
curry	el curry
mince, fin	delgado
contenir qqch	contener, tener
Les pommes frites contiennent beaucoup de matière grasse.	Las patatas fritas tienen mucha grasa.
à peu près, environ	aproximadamente, unos
environ 20 minutes	unos 20 minutos
Europe	Europa
graisse	la grasa
forme	la forma, -s
en forme de chips	en forma de patatas chip
frire	freír
nourriture principale	el alimento principal
en plus	para ello, además
oie	el ganso, -s
épice	el condimento, -s
café (lieu)	el café, la cafetería, -s
chips	las patatas chip
tranche fine de pommes de terre	la rodaja de patata, -s
inconvénient	la desventaja, -s
persil	el perejil
poireau	el puerro, -s
produire qqch	producir
réduire qqch en purée	hacer puré, pasar por el pasapurés
safran	el azafrán
propre	limpio
nettoyer qqch	limpiar
nettoyer les champignons	limpiar los champiñones
marin	el marinero, -s
mais	sino (conj.)
ici : tranche longue	aquí: en tiras
Venise	Venecia
mélanger qqch	mezclar
varié, différent	distinto
de différentes façons	de maneras distintas
laver qqch	lavar
Noël	la Navidad
à Noël	para Navidad
façon, manière	la forma, la manera, -s
de différentes façons	de manera distinta
de renommée mondiale	conocido mundialmente

würzen + A	to spice sth
zubereiten + A	to prepare sth (meal)
die **Zubereitung**, -en	preparation
die **Zutat**, -en	ingredient
zu viel	too much
Pommes frites enthalten zu viel Fett.	Crisps/Chips contain too much fat.

▦ Kapitel 5: Teile A, C und D

▦ Chapter 5: Parts A, C and D

abfahren [er fährt ab, er ist abgefahren]	to leave (by means of transportation)
abholen [er holt ab, er hat abgeholt] + A	to pick up sth/sb
Gäste vom Flughafen abholen	to pick up the guests at the airport
absagen [er sagt ab, er hat abgesagt] + A	to cancel sth
einen Termin absagen	to cancel an appointment
allein(e)	alone
allein(e) essen	to eat alone
der **Alltag**, -e	daily routine, everyday life
analysieren [er hat analysiert] + A	to analyse sth
anderthalb	one and a half
anfangen [er fängt an, er hat angefangen]	to start, to begin
Die Besprechung fängt um 14 Uhr an.	The meeting begins at 2 PM.
Ich fange mit der Arbeit um 8 Uhr an.	I start working at 8 AM.
ankommen [er kommt an, er ist angekommen]	to arrive
die **Ankunft**, ̈e	arrival
die **Anrede**, -n	salutation
der **Anruf**, -e	phone call
anrufen [er ruft an, er hat angerufen] + A	to call, to ring sb
einen Kollegen anrufen	to call a colleague
anschließen [er schließt an, er hat angeschlossen] + A	to join, to connect sth
den Drucker anschließen	to connect the printer
die **Anzeige**, -n	announce
der **April**	April
die **Arbeitstätigkeit**, -en	work activity
die **Arbeitszeit**, -en	working hours
Arme (f)/**Armer** (m)	poor
Du Arme! Du Armer!	Poor you (f)!/Poor you (m)!
die **Art**, -en	sort, type
MusikInstrumente aller Art	all sorts of music instruments
aufhören [er hört auf, er hat aufgehört]	to stop
mit der Arbeit aufhören	to stop working
Auf Wiederhören!	Goodbye! (on the phone)
aufschreiben [er schreibt auf, er hat aufgeschrieben] + A	to write down sth
einen Termin aufschreiben	to write down the date of an appointment
aufstehen [er steht auf, er ist aufgestanden]	to get up
der **Auftrag**, ̈e	duty
aufwachen [er wacht auf, er ist aufgewacht]	to wake up
der **August**	August

Chapitre 4

épicer qqch	condimentar
préparer qqch	preparar
préparation	la preparación, -es
ingrédient	el ingrediente, -s
trop	demasiado
Les pommes frites contiennent trop de matière grasse.	Las patatas fritas tienen demasiada grasa.

▦ Chapitre 5 : Partie A, C et D ▦ Capítulo 5: Partes A,C y D

partir (en véhicule)	Partir, salir
aller/venir checher qqn/qqn	Recoger
aller chercher les clients/invités à l'aéroport	recoger huéspedes del aeropuerto
annuler qqch	cancelar
annuler un rendez-vous	cancelar una cita
seul	solo
manger seul	comer solo
quotidien	el día a día
analyser qqch	analizar
un et demi	uno y medio
commencer	empezar,
La réunion commence à 14 heures.	La discusión empieza a las 14 h.
Je commence le travail à 8 heures.	Empiezo a trabajar a las 8.
arriver	llegar
arrivée	la llegada, -s
formule de politesse (d'introduction)	el tratamiento, -s
appel (téléphonique)	la llamada, -s
appeler qqn au téléphone	llamar
appeler un collègue	llamar a un colega
joindre, brancher qqch	conectar
brancher l'imprimante	conectar la impresora
annonce	el anuncio, -s
avril	abril, -es
tâche professionnelle, activité au travail	la tarea laboral, -s
heures du travail	el tiempo de trabajo, -s
pauvre	pobre
Ma pauvre ! Mon pauvre !	¡Pobre!
sorte, type	la forma, el tipo, -s
toutes sortes d'instruments de musique	instrumentos musicales de todo tipo
cesser, arrêter	terminar
arrêter le travail	Terminar con el trabajo
Au revoir ! (au téléphone)	Adiós (al teléfono)
noter qqch	apuntar
noter la date d'un rendez-vous	apuntar una cita
se lever	levantarse
devoir, tâche	el encargo, -s
se réveiller	despertarse
août	agosto, -s

ausdrucken [er druckt aus, er hat ausgedruckt] + A	to print out sth
ein Dokument ausdrucken	to print out a document
ausmachen [er macht aus, er hat ausgemacht] + A	to switch off sth (spoken language)
den Fernseher ausmachen	to switch off the TV
ausschalten [er schaltet aus, er hat ausgeschaltet] + A	to switch off sth
den Fernseher ausschalten	to switch off the TV
aussteigen [er steigt aus, er ist ausgestiegen]	to gett off
aus dem Bus aussteigen	to get off the bus
das **Baujahr**, -e	year of construction
beachten [er hat beachtet] + A	to pay attention to sth, to observe sth
eine Regel beachten	to pay attention to a rule
der **Befehl**, -e	command, instruction, order
beginnen [er hat begonnen]	to start, to begin
Ich beginne mit der Arbeit.	I start working.
Wann beginnt der Deutschkurs?	When does the German course begin?
das **Benzin**	gas, petrol
die **Besprechung**, -en	meeting
best-	best
Mit besten Grüßen	Best regards
die **Blume**, -n	flower
der **Blumenstrauß**, ¨e	bunch of flowers
buchen [er hat gebucht] + A	to reserve, to book sth
einen Flug buchen	to book a flight ticket
die **Buchung**, -en	reservation
die **Bürotätigkeit**, -en	working activity
der **Bus**, -se	bus
bzw. (= beziehungsweise)	and
der **Chef**, -s	chief, boss, supervisor
der **Computerbefehl**, -e	computer command
die **Computerfunktion**, -en	computer function
der **Computerspezialist**, -en	computer specialist
das **Computerteil**, -e	computer part
die **Dame**, -n	lady
danach	after that, afterwards
die **Dauer**	length, duration
dauern [er hat gedauert]	to take (time)
Wie lange dauert der Film?	How long is the film?
der **Deutschunterricht**, -e	German lesson
der **Dezember**	December
dringend	urgent
einfügen [er fügt ein, er hat eingefügt] + A	to paste sth
einen Text einfügen	to paste a text
eingehen [er geht ein, er ist eingegangen]	to elaborate on sth, to cover sth
Gehen Sie im Brief auf folgende Punkte ein.	Your letter should cover the following points.
einschalten [er schaltet ein, er hat eingeschaltet] + A	to switch on sth
den Fernseher einschalten	to switch on the TV
das **Einzelstück**, -e	individual piece

imprimer qqch	imprimir
imprimer un document	imprimir el documento
éteindre qqch (langage parlé)	apagar
éteindre la télévision	apagar el televisor
éteindre qqch	desconectar
éteindre la télévision	desconectar el televisor
descendre	salir, bajarse
descendre du bus	bajarse del autobús
année de construction	el año de construcción, -s
faire attention à qqch	atender, cumplir
faire attention à une règle	cumplir una regla
commande	la orden, -s
commencer	empezar
Je commence à travailler.	Empiezo con el trabajo.
Quand commence le cours d'allemand ?	¿Cuándo empieza el curso de alemán?
essence	la gasolina
réunion	la charla, -s, la discusión, -es
meilleur	mejor
Meilleures salutations	Mis mejores saludos.
fleur	la flor, -es
bouquet de fleurs	el ramo de flores, -s
réserver qqch	reservar
réserver un billet d'avion	reservar un vuelo
réservation	la reserva, -s
activité, tâche (au travail)	la tarea de oficina, -s
bus	el autobús, -es
et	correspondientemente
patron	el jefe, -s
commande (informatique)	la instrucción de ordenador, -es
fonction informatique	la función de ordenador, -es
expert en informatique	el especialista en ordenadores, -s
élément/pièce d'ordinateur	la parte del ordenador, -s
dame	la dama, -s
puis, ensuite	después
durée	la duración, -es
durer	durar
Combien de temps dure le film ?	¿Cuánto dura la película?
cours d'allemand	la clase de alemán, -s
decembre	diciembre
urgent	urgente
insérer qqch	introducir
insérer un texte	introducir un texto
décrire, traiter (en détail)	ocuparse de
Traitez les points suivants en détail.	Ocúpese brevemente de los siguientes puntos.
allumer qqch	encender
allumer la télévision	encender el televisor
exemplaire unique	la unidad, -es

das **Ende**, -n	end
Wann ist das Konzert zu Ende?	When does the concert end?
erreichen [er hat erreicht] + A	to reach sb/sth
Er ist unter 040 344 5664 zu erreichen.	He can be reached at 040 344 5664.
erwarten [er erwartet, er hat erwartet] + A	to wait for sth
Wir erwarten den Monteur um 14 Uhr.	We are waiting for the mechanic at 2 PM.
das **Fahrradgeschäft**, -e	bicycle shop
die **Fahrt**, -en	journey
fantastisch	fantastic, amazing
der **Februar**	February
der **Feierabend**, -e	end of working day, evening
Martin hat um 17 Uhr Feierabend.	Martin's working day ends at 5 PM.
der **Feiertag**, -e	holiday
das **Fenster**, -	window
der **Fernsehmonteur**, -e	TV mechanic
das **Fitnessstudio**, -s	fitness centre
der **Flug**, ꞌꞌe	flight
der **Flughafen**, ꞌꞌ	airport
frühstücken [er hat gefrühstückt]	to have breakfast
furchtbar	horrible, terrible
Das ist ja furchtbar!	It's really horrible!
führen [er hat geführt] + A	to conduct sth
ein Gespräch führen	to conduct a conversation
ganz-	entire
den ganzen Tag	the entire day, all day long
geboren sein	to be born
Ich bin am 3. Juli 1974 geboren.	I was born the 3 July 1974.
der **Geburtstag**, -e	birthday
Wann haben Sie Geburtstag?	When is your birthday?
geehrt-	honoured
Sehr geehrte Damen und Herren!	Ladies and Gentlemen!
das **Gegenteil**, -e	opposite, contrary
die **Gemeinschaftspraxis**, die Praxen	joint practice, medical centre
genau	precise, exact
die genaue Uhrzeit	the exact time
die **Germanistik**	German studies, German philology
das **Geschäft**, -e	shop
halb	half
eine halbe Stunde	half an hour
die **Info**, -s	info (short form for information)
installieren [er hat installiert] + A	to install sth
den Drucker installieren	to install the printer
ja	here: really (expletive word)
Das ist ja furchtbar!	It's really terrible !
der **Januar**	January
jemand	somebody

Chapitre 5

Capítulo 5

fin	el fin, -es
Quand le concert se termine-t-il ?	¿Cuándo acaba el concierto?
joindre qqn	localizar
Il est joignable au 040 344 5664.	Se le puede localizar en el 0403445664.
attendre qqch/qqn	esperar
Nous attendons le mécanicien/réparateur	Esperamos al técnico las 14.
à 14 heures.	
magasin de vélo	la tienda de bicicletas, -s
voyage	la viaje, -s
phantastique	fantástico
février	febrero, -s
fin du travail	la tarde libre, -s
Martin finit de travailler à 17 heures.	Martín tiene a partir de las 17 la tarde libre.
jour férié	el día festivo, -s
fenêtre	la ventana, -s
réparateur de télévision	el técnico de televisión, -s
centre de sport	el gimnasio de fitness, -s
vol	el vuelo, -s
aéroport	el aeropuerto, -s
prendre le petit déjeuner	desayunar
horrible, terrible	horrible
C'est vraiment horrible !	¡Eso es horrible!
mener qqch	conducir, ha conducido
mener une conversation	mantener una conversación
entier, tout	entero
toute la journée	todo el día
être né	nacer
Je suis né le 3 juillet 1974.	Nací el 3 de julio de 1974.
anniversaire	el cumpleaños, -
Quel est le jour de votre anniversaire ?	¿Cuándo es su cumpleaños?
honoré, cher	apreciado
Mesdames et Messieurs !	¡Muy señores míos! (carta)
contraire	el/lo contrario, -s
cabinet médical	la consulta conjunta
exact, précis	exacto
l'heure exacte	la hora exacta
étude de la linguistique et de la littérature allemande	la filología alemana
magasin	el negocio, -s
demi	medio
une demie heure	media hora
info (forme courte pour « information »)	la información, -es
installer qqch	instalar
installer l'imprimante	instalar la impresora
ici : vraiment	Sí/verdaderamente
C'est vraiment terrible !	¡Es verdaderamente horrible!
janvier	enero, -s
quelqu'un	alguien

der **Juli**	July
der **Juni**	June
das **Kabel**, -	cable
das **Keyboard**, -s	keyboard (of a music instrument)
die **Kneipe**, -n	pub
kopieren [er hat kopiert] + A	to copy sth
einen Text kopieren	to copy a text
die **Küche**, -n	kitchen
der **Kühlschrank**, ̈e	fridge
der **Kundenservice**, -s	client service
laufen [er läuft, er ist gelaufen]	to run
löschen [er hat gelöscht] + A	to delete sth
eine E-Mail löschen	to delete an e-mail
lösen [er hat gelöst] + A	to solve sth
ein Computerproblem lösen	to solve a computer problem
der **Mai**	May
die **Marke**, -n	brand
das **Markenfahrrad**, ̈er	first-class bicycle
der **März**	March
medizinisch	medical
medizinischer Notdienst	medical emergency service
der/das **Meter**, -	meter
mitfahren [er fährt mit, er ist mitgefahren]	to travel with sb
die **Mittagspause**, -n	lunch break
möglich	possible
der **Monteur**, -e	mechanic
mündlich	oral
das **Musikgeschäft**, -e	music shop
müssen [er muss, er hat gemusst]	must, have to
Er muss die Gäste abholen.	He has to pick up the guests.
muttersprachlich	native
ein muttersprachlicher Lehrer	a native teacher
die **Nachrichten** (Pl.)	news
national	national
niedrig	low
Fahrräder zu niedrigen Preisen	bicycles for low prices
der **Notdienst**, -e	emergency service
notwendig	necessary
die **Notwendigkeit**, -en	necessity
der **November**	November
der **Oktober**	October
ordnen [er ordnet, er hat geordnet] + A	to classify sth
Ordnen Sie die Verben nach der Endung.	Classify the verbs according to their ending.
das **Parkverbot**, -e	parking prohibition
im Parkverbot parken	to park in a prohibited area
passieren [es ist passiert]	to happen
Was ist passiert?	What happened?
die **Praxis**, die Praxen	medical centre

Français	Español
juillet	julio, -s
juin	junio, -s
cable	el cable, -s
clavier (d'un instrument de musique)	el teclado, -s
pub, brasserie	el bar, -es
copier qqch	copiar, él ha copiado
copier un texte	copiar un texto
cuisine	la cocina, -s
réfrigérateur	el armario de cocina, -s
service clientèle	el servicio al cliente, -s
courir	correr
effacer qqch	borrar
effacer un e-mail	borrar un e-mail
résoudre qqch	resolver
résoudre un problème d'informatique	resolver un problema de ordenador
mai	mayo, -s
marque	la marca, -s
vélo de marque	la bicicleta de marca, -s
mars	marzo, -s
médical	médico (adj)
urgences médicales	el servicio médico de urgencias
mètre	el metro, -s/ el contador, -es
voyager avec qqn	viajar con (alguien)
pause de midi	la pausa de mediodía, -s
possible	posible
mécanicien, réparateur	el técnico, -s
à l'oral	oral
magasin de musique	la tienda de música, -s
devoir	tener que, deber de
Il doit aller chercher les clients/invités.	Debe recoger a los invitados.
de langue maternelle	de lengua materna
un professeur de langue maternelle	un profesor nativo
informations	las noticias
national	nacional
bas	bajo
vélos à prix bas	bicicletas a bajo precio
service des urgences	el servicio de urgencia, -s
nécessaire	necesario
nécessité	la necesidad, -es
novembre	noviembre, -s
octobre	octubre, -s
classer qqch	ordenar
Classez les verbes selon la terminaison.	Ordene los verbos según la terminación.
défense de stationner	la prohibición de aparcar
garer sa voiture à un endroit interdit	aparcar en lugar prohibido
se passer	suceder, ha sucedido
Qu'est-ce qui s'est passé ?	¿Qué ha sucedido?
cabinet médical	la consulta (v.g. médica)

die **Prüfung**, -en	examination
der **Punkt**, -e	point
pünktlich	punctual, on time
reduziert (bis zu 70 %)	reduced (up to 70 %)
die **Regel**, -n	rule
in der Regel	in general
das **Rennrad**, "er	racing cycle
reparieren [er hat repariert] + A	to repair sth
die **Reparatur**, -en	reparation
der **Reparaturtermin**, -e	reparation deadline
der **Scanner**, -	scanner
schiefgehen [es geht schief, es ist schiefgegangen]	to go wrong
der **Schlaf**	sleep
der **Schluss**	end
zum Schluss	at the end
die **Schreibweise**, -n	way of writing
schriftlich	written, in writing
der **September**	September
spät	late
sollen [er soll, er hat gesollt]	to have to (executing sb else's wish)
Der Chef sagt, ich soll Frau Schäfer anrufen.	The boss says that I have to call Mrs Schäfer.
speichern [er hat gespeichert] + A	to save sth (on the computer)
die **Sprachenschule**, -n	language school
sprechen [er spricht, er hat gesprochen] + A	to talk to sb
Kann ich bitte Frau Kümmel sprechen?	Can I talk to Mrs Kümmel, please?
die **Sprechweise**, -n	way of speaking
der **Stress**	stress
ungefähr	approximately
die **Uni**, -s	university (short for "Universität")
der **Unterricht**, -e	course
Unterricht haben/geben	to have a course/to give a course
der **Tagesablauf**, "e	daily routine
die **Tankstelle**, -n	gas station
die **Tastatur**, -en	keyboard (computer)
die **Taste**, -n	key (computer)
die **Terminvereinbarung**, -en	(the action of) making an appointment
treffen [er trifft, er hat getroffen] + A	to meet sb
der **Typ**, -en	type
umziehen [er zieht um, er ist umgezogen]	to move houses
unter (einer Telefonnummer)	at (a telephone number)
Er ist unter 040 344 5664 zu erreichen.	He can be reached at 040 344 5664.
die **Variation**, -en	variation
sich **verabschieden** (reflexiv)	to say goodbye (reflexive)
verbinden [er verbindet, er hat verbunden] + A	to connect, to put through sb
Ich verbinde Sie.	I'll put you through.
vereinbaren [er hat vereinbart] + A	to agree on sth
einen Termin vereinbaren	to take an appointment
die **Vereinbarung**, -en	agreement

examen	el examen, -es
point	el punto, -s
ponctuel	puntual
réduit (jusqu'à 70 %)	reducido (hasta un 70 %)
règle	la regla, -s
en général	regularmente
vélo de course	la bicicleta de carreras, -s
réparer qqch	reparar
réparation	la reparación, -es
date de réparation	la fecha para la reparación, -s
scanner	el escanner, -s
tourner mal	salir mal
sommeil	el sueño
fin	el cierre, el final
à la fin, pour conclure	finalmente
façon d'écrire	la forma de escritura, -s
à l'écrit	por escrito
septembre	septiembre, -s
tard	tarde (adv)
devoir	deber
Le chef dit que je dois appeler Mme Schäfer.	El jefe dice que debo llamar a la Sra Schäfer.
sauver qqch (à l'ordinateur)	guardar, grabar
école de langues	la escuela de idiomas, -s
parler à qqn	hablar
Puis-je parler à Mme Kümmel, svp. ?	¿Puedo hablar con la Sra Kummel?
façon de parler	la forma de hablar, -s
stress	el estrés
à peu près	aproximadamente
université (langage parlé)	la universidad, -es
cours	la clase, -s
avoir/donner un cours	dar clase
emploi du temps	el curso del día, -
station service	la gasolinera, -s
clavier (d'ordinateur)	el teclado, -s
touche	la tecla, -s
(l'action de) prendre rendez-vous	acordar una cita
rencontrer qqn	encontrarse
type	el tipo, -s
déménager	mudarse
à (un numéro de téléphone)	en (el número de teléfono)
Il est joignable au 040 344 5664.	Se le puede localizar en el 040 3445664
variation	la variación, -es
dire au revoir (réflexif)	despedirse (refl.)
connecter qqn/qqch, mettre en relation qqn	conectar
Je vous le/la passe.	Ahora le paso.
se mettre d'accord sur qqch	acordar
prendre rendez-vous	acordar una cita
accord	el acuerdo, -s

Deutsch	English
Vergangenes	past
über Vergangenes berichten	to report events of the past
die **Vergangenheit**, -en	past (time)
vorbeikommen [er kommt vorbei, er ist vorbeigekommen]	to come by, to pass
Ich möchte mal vorbeikommen.	I'd like to come by.
die **Waschmaschine**, -n	washing machine
der **Wechsel**, -	change
der **Weg**, -e	way
weiterleiten [er leitet weiter, er hat weitergeleitet]+ A	to forward sth
eine E-Mail weiterleiten	to forward an email
wider- (Präfix)	against- (prefix)
wie	as, like
wie immer	as always
wie spät?	what time?
Wie spät ist es?	What time is it?
der **Zahnarzt**, ̈e	dentist
die **Zahnarztpraxis**, die Zahnarztpraxen	dental centre
der **Zahnschmerz**, -en	toothache
der **Zeitpunkt**, -e	date
zumachen [er macht zu, er hat zugemacht] + A	to close sth
die Tür zumachen	to close the door
zurück	back
zurückkommen [er kommt zurück, er ist zurückgekommen]	to come back, to return
der **Zustand**, ̈e	state
zweieinhalb	two and a half
zweieinhalb Stunden	in two and a half hours

▦ Kapitel 5: Teil B   ▦ Chapter 5: Part B

Deutsch	English
aktuell	actual, up-to-date, current
aktuelle Informationen	actual information
asiatisch	Asian
die **Beliebtheitsskala**, die Skalen	top list
beliebtest-	favourite
die beliebtesten Sendungen	favourite programmes
der **Dokumentarfilm**, -e	documentary
die **Erdbevölkerung**	Earth population
das **Fernsehangebot**, -e	choice of TV programmes
die **Fernsehstunde**, -n	TV hour, hour spent in front of the TV
die **Freizeitbeschäftigung**, -en	activity, leisure
die **Fußballweltmeisterschaft**, -en	football world championship
das **Gleiche**	the same (thing)
Auf allen Sendern läuft das Gleiche.	It's the same thing on every channel.
inzwischen	meanwhile
der **Japaner**, -	Japanese
die **Kochshow**, -s	cooking show

(ce qui est) passé	pasado, sucedido
rapporter des événements du passé	informar sobre lo pasado
(temps) passé	el pasado, -s
passer	pasarse
Je voudrais passer (chez vous/toi etc.).	Me gustaría pasarme por ahí.
machine à laver	la lavadora, -s
changement	el cambio, -s
chemin	el camino, -s
faire suivre qqch	reenviar
faire suivre un courriel	reenviar un e-mail
contre- (préfixe)	contra- (prefijo)
comme	como
comme toujours	como siempre
quelle heure ?	¿a qué hora?
Quelle heure est-t-il ?	¿Qué hora es?
dentiste	el dentista, -s
cabinet dentaire	la consulta del dentista, -s
mal de dents	el dolor de muelas, -es
date	el momento, -s
fermer qqch	cerrar
fermer la porte	cerrar la puerta
de retour	de vuelta, atrás
être de retour	regresar
état	el estado, -s
deux et demi	dos y media
deux heures et demie	dos horas y media

▦ Chapitre 5 : Partie B ▦ Capítulo 5: Parte B

actuel	actual
informations actuelles	información actual
asiatique	asiático (adj)
échelle de popularité	la escala de preferencia
favori	preferido
les émissions favories	los programas preferidos
film documentaire	el documental, -es
population de la Terre	la población de la Tierra
(l'ensemble des) programmes télévisés	la oferta de televisión, -s
heure passée devant la télé	la hora de televisión, -s
activité, loisir	la ocupación de ocio, -es
championnat du monde de football	el campeonato mundial de fútbol
le même, la même chose	lo igual
Sur toutes les chaînes, c'est la même chose/ le programme est le même.	Todas las emisoras son iguales.
entretemps	entretanto
Japonais	el japonés, -es
émission de cuisine	el programa de cocina, -s

der **Krimi**, -s	thriller, detective film
länger	longer
nutzen [er hat genutzt] + A	to use sth
die **Olympischen Spiele** (Pl.)	Olympic Games
das **Programm**, -e	programme
die **Quizshow**, -s	quiz show
die **Reality-Show**, -s	reality show
die **Show**, -s	show
der **Sender**, -	channel
die **Sendung**, -en	programme
die **Serie**, -n	series
der **Spaß**	pleasure, fun
Fernsehen macht Spaß.	It's fun to watch TV.
der **Spielfilm**, -e	feature film
der **Spitzenreiter**, -	front runner
die **Sportsendung**, -en	sport programme
die **Talkshow**, -s	talkshow
die **Telenovela**, -s	telenovela, sitcom
unterschiedlich	different
der **Vergleich**, -e	comparison
die **Werbung**, -en	advertisement, ad
die **Wortschatzliste**, -n	vocabulary list
der **Zuschauer**, -	spectator

■ Kapitel 6: Teile A, C und D   ■ Chapter 6: Parts A, C and D

die **Abfahrt**, -en	departure
der **Abflug**, ⁔e	flight departure
der **Absatzschuh**, -e	high heel shoe
die **Addition**, -en	addition
Ägypten	Egypt
die **Alternative**, -n	alternative
die **Ampel**, -n	traffic light
angeben [er gibt an, er hat angegeben] + A	to give, to indicate sth
einen Grund angeben	to give a reason
anprobieren [er probiert an, er hat anprobiert] + A	to try on sth
einen Anzug anprobieren	to try on a suit
der **Anzug**, ⁔e	suit
das **Aspirin**	aspirin
auffordern [er fordert auf, er hat aufgefordert] + A	to ask, to request sb
Fordern Sie einen Freund auf: er soll …	Ask a friend. He should …
die **Aufforderung**, -en	request
der **Ausflug**, ⁔e	excursion
ausgeben [er gibt aus, er hat ausgegeben] + A	to spend sth (money)
Geld ausgeben	to spend money
äußern [er hat geäußert] + A	to express, to utter
einen Wunsch äußern	to express a wish

Chapitre 5

film/livre policier	la serie, -s
plus longtemps	más largo
utiliser qqch	utilizar
Jeux Olympiques	los juegos olímpicos
programme	el programa, -s
jeu télévisé	el programa de preguntas y respuestas
reality show	el reality-show, -s
show	el show, -s
chaîne	la emisora, -s
programme, émission	la emisión, -es
série	la serie,-s
plaisir	la diversión
Regarder la télé est amusant.	Ver la televisión es divertido.
long métrage	la película de acción, -s
leader, le premier	el que está en el primer puesto de una escala
émission sportive	la emisión deportiva, -es
talkshow	el talkshow, -s
feuilleton, série télévisée	la telenovela, -s
différent	diferente
comparaison	la comparación, -es
publicité	la publicidad (sing)
liste de vocabulaire, lexique	la lista de vocabulario, -s
spectateur	el espectador, -es

■ Chapitre 6 : Partie A, C et D ■ Capítulo 6: Partes A, C y D

départ	la partida (en tren, en coche), -es
décollage	la salida del vuelo, -s
chaussure à talons	el zapato de tacón, -s
addition	la suma, -s
Egypte	Egipto
alternative	la alternativa, -s
feu de signalisation	el semáforo, -s
indiquer, fournir, donner	pretender, ofrecer
donner une raison	dar una razón
essayer qqch (habit, chaussures)	probarse
essayer un costume	probarse un traje
costume	el traje, -s
aspirine	la aspirina
demander à qqn, exiger de qqn	requerir, preguntar
Demandez à un ami : Il doit …	Requiera a un amigo: él debería…
requête	el requerimiento, -s
excursion	la excursión, -es
dépenser qqch	repartir
dépenser de l'argent	repartir dinero
exprimer	expresar
exprimer un souhait	expresar un deseo

die **Autobahn**, -en	motorway, highway
auf der Autobahn fahren	to drive on the motorway
der **Autofahrer**, -	car driver
die **Badehose**, -n	bathsuit (for men)
die **Bahn**	rail, train
mit der Bahn reisen	to travel by train
der **Bahnhof**, ᵘe	railway station
auf dem Bahnhof stehen	to wait/be at the railway station
Ich hole dich am Bahnhof ab.	I'll pick you up at the railway station.
der **Bahnsteig**, -e	platform
begründen [er begründet, er hat begründet] + A	to justify sth
Begründen Sie Ihre Auswahl.	Justify your choice.
der **Berg**, -e	mountain
betragen [er beträgt, er hat betragen]	to amount
Die Temperatur beträgt 18 Grad.	The temperature is 18 degrees.
bewölkt	cloudy
der **Bikini**, -s	bikini
die **Bitte**, -n	request
bitten [er bittet, er hat gebeten] + A	to ask sb
Ich bitte Sie: Rufen Sie mich morgen an.	I'd like to ask you to call me tomorrow.
blau	blue
die **Bluse**, -n	blouse
braun	brown
danken [er hat gedankt] + D	to thank sb
Ich danke dir.	I thank you.
denn	for, because
das **Ding**, -e	thing
dir (Dativ von „du")	you, for you, to you (dative)
durch	through
Ich fahre durch Bayern.	I drive/travel through Bavaria.
die **Durchsage**, -n	announcement (at the railway station etc.)
einfach	simple, one way
eine einfache Fahrt	one-way ticket
die **Einfahrt**, -en	arrival (of a train)
Der Zug nach München hat Einfahrt am Gleis 3.	The train to Munich will arrive to platform 3.
einsam	lonely
eine einsame Insel	a lonely island
einsam sein	to be lonely
einsteigen [er steigt ein, er ist eingestiegen]	to get on
in den Bus einsteigen	to get on the bus
das **Eis**	ice cream
endlich	finally
der **Erfolg**, -e	success
(keinen) Erfolg haben	to have (no) success
sich **erkundigen** [er hat sich erkundigt] (reflexiv)	to inquire, to ask (reflexive)
sich nach Fahrkartenpreisen erkundigen	to inquire about ticket prices
das **Erlebnis**, -se	experience
der **Espresso**, -s	espresso

autoroute	la autopista, -s
conduire sur l'autoroute	conducir por la autopista
chauffeur	el conductor, -es
maillot de bain pour homme	el traje de baño, -s
chemin de fer, train	el tren
voyager en chemin de fer	viajar en tren
gare	la estación de tren, -es
attendre/être à la gare	estar en la estación
Je viens te chercher à la gare.	Te recojo en la estación
quai	el andén, -es
justifier qqch	justificar
Justifiez votre choix.	Justifique su elección.
montagne	la montaña, -s
être de (température, somme)	subir a
La température est de 18 degrés.	La temperatura sube a 18 grados.
nuageux, couvert	nublado
bikini	el bikini, -s
demande	la petición, -es
demander à qqn	pedir, rogar
Je vous demande : Appelez-moi demain.	Le ruego me llame mañana.
bleu	azul
chemisier	la blusa, -s
brun	marrón
remercier qqn	agradecer
Je te remercie.	Te lo agradezco.
parce que	pues
chose	la cosa, -s
te, à toi (datif de « de »)	a ti (segunda persona singular dativo)
à travers de	por, a través de
Je traverse la Bavière.	Viajo por Baviera.
annonce (à la gare etc.)	el aviso, el comunicado
simple	sencillo
un aller simple	un viaje sencillo
arrivée (d'un train)	la llegada (de tren), -s
Le train de Munich arrive sur le quai 3.	El tren con destino Munich entra por la vía 3.
seul	solitario
une île déserte	una isla solitaria
être seul	estar solo
monter	subirse
monter dans le bus	subirse al bus
glace	el hielo
enfin	finalmente
succès	el éxito, -s
(ne pas avoir de)/avoir du succès	no tener éxito
se renseigner (réflexif)	informarse de, él se ha informado (v. ref)
se renseigner sur le prix des billets	informarse de los billetes la experiencia, -s
expérience (vécue)	la experiencia, -s
espresso	el expresso, -

German	English
euch (Dativ von „ihr")	you, for you, to you (dative for "ihr")
der **Express(zug)**, die Expresszüge	express train
die **Fahrbahn**, -en	lane
die **Fähre**, -n	ferry boat
der **Fahrgast**, ¨e	passenger
die **Fahrkarte**, -n	travel ticket
der **Fahrkartenschalter**, -	ticket window
der **Fahrplan**, ¨e	timetable, schedule
die **Fahrt**, -en	travel, journey
Wie lange dauert die Fahrt?	How long does the journey take?
Gute Fahrt!	Have a nice trip!
einfache Fahrt	one-way ticket
die **Farbe**, -n	colour
der **Fitnessraum**, ¨e	fitness centre
fliegen [er ist geflogen]	to fly
der **Flugplan**, ¨e	flight schedule
das **Flugticket**, -s	flight ticket
das **Flugzeug**, -e	airplane
mit dem Flugzeug fliegen	to take the airplane
der **Fotoapparat**, -e	camera
frieren [er hat gefroren]	to be cold
der **Frost**, ¨e	frost
der **Frühling**, -e	spring
der **Führerschein**, -e	driver's licence
gar	at all
Ich will gar kein Geld ausgeben.	I don't want to spend money at all.
es geht [es ist gegangen] + D	to go
Wie geht es Ihnen?	How are you?
Es geht mir gut.	I am fine.
gefallen [er gefällt, er hat gefallen] + D	to like sth
Dieser Rock gefällt mir.	I like this skirt.
gehören [es hat gehört] + D	to belong to sth/sb
Diese Jacke gehört mir.	This jacket belongs to me/is mine.
gelb	yellow
das **Gepäck** (Sg.)	baggage
Ich habe viel Gepäck.	I have a lot of baggage.
das **Geschenk**, -e	present, gift
gewinnen [er hat gewonnen] + A	to win sth
500 Euro im Lotto gewinnen	to win 500 euros at the lottery
das **Gewitter**, -	storm
das **Gleis**, -e	platform
Der Zug nach Berlin fährt von Gleis 2.	The train to Berlin will depart from platform 2.
das **Grad (Celsius)**	degree (celsius)
grau	grey
die **Grenze**, -n	border
an der Grenze stehen	to wait at the border
die **Größe**, -n	size
Ich habe die Bluse auch in Größe 38.	I also have the blouse in size 38.

vous, à vous (datif de « ihr »)	a vosotros (segunda personal plural dativo)
train express	el tren expreso, -es
voie	el carril, -es, la vía, -s
ferry	el ferry, -s
passager	el pasajero,-s
billet, ticket	el billete, -s
guichet	la taquilla, -s
horaire	el horario (de trenes), -s
voyage	el viaje, -s
Combien de temps dure le voyage ?	¿Cuánto dura el viaje?
Bon voyage !	¡Buen viaje!
aller simple	Viaje sencillo
couleur	el color, -es
salle de sport	la sala de fitness, -s
voler	volar
horaire des vols	el horario de vuelo, -s
billet d'avion	el billete de avión, -s
avion	el avión, -es
prendre l'avion	volar en avión
appareil photo	la cámara de fotos, -s
avoir froid, geler	helarse
gel, givre	la escarcha, -s
printemps	la primavera, -s
permis de conduire	el carnet de conducir, -s
du tout	ninguno, en absoluto
Je ne veux pas du tout dépenser d'argent.	No quiero gastar ningún dinero.
aller	irle (a alguien)
Comment allez-vous ?	¿Cómo le va?
Je vais bien.	Me va bien.
plaire à qqn	gustar
Cette jupe me plaît.	Esta falda me gusta.
appartenir à qqn/qqch	pertenecer, pertenece, ha pertenecido
Cette veste est à moi.	Esta chaqueta me pertenece.
jaune	amarillo
bagage	el equipaje
J'ai beaucoup de bagages.	Tiene mucho equipaje.
cadeau	el regalo, -s
gagner qqch	ganar
gagner 500 euros au loto	ganar 500 euro en la lotería
orage	la tempestad, -es
quai, voie	la vía, -s
Le train pour Berlin part au quai 2.	El tren a Berlín sale por la vía 2.
degré (celsius)	el grado (Celsius)
gris	gris
frontière	la frontera, -s
être/attendre à la frontière	estar en la frontera
taille	la talla, -s
J'ai le chemisier aussi en taille 38.	Tengo una blusa también de talla 38.

grün	green
der **Grund**, ¨-e	reason
der **Hafen**, ¨-	haven
die **Halbpension**, -en	half board
die **Haltestelle**, -n	stop (bus, tram)
an der Haltestelle stehen	to wait at the (bus) stop
die **Handtasche**, -n	handbag
hart	hard
hart arbeiten	to work hard
hassen [er hat gehasst] + A	to hate sth/sb
Ich hasse den Sommer.	I hate the summer.
heftig	heavy, impetuous
ein heftiger Sturm	heavy storm
helfen [er hilft, er hat geholfen] + D	to help sb
Kann ich Ihnen helfen?	Can I help you?
das **Hemd**, -en	shirt
der **Herbst**, -e	fall, autumn
der **Himmel**, -	sky
hingehen [er geht hin, er ist hingegangen]	to go (there)
Morgen ist ein Konzert, und wir gehen hin.	There is a concert tomorrow and we are going there/we will be there.
die **Hin- und Rückfahrt**, -en	round trip
die **Hitze**	heat
höflich	polite
die **Hose**, -n	trousers
der **Hund**, -e	dog
die **Idee**, -n	idea
ihm (Dativ von „er")	him, for him, to him (dative for "er")
ihnen (Dativ von „sie", Pl.)	them, for them, to them (dative for "sie", pl)
Ihnen (Dativ von „Sie")	you, for you, to you (dative for "Sie")
ihr (Dativ von „sie", Sg.)	her, for her, to her (dative for "sie", sg)
sich **informieren** [er hat sich informiert] (reflexiv)	to gather information (reflexive)
Ich kann mich am Bahnhof informieren.	I can gather information at the railway station.
die **Insel**, -n	island
auf eine Insel fahren	to go/travel to an island
der **Intercity-Express**	intercity express
irgendwo	somewhere
die **Jacke**, -n	jacket
die **Jahreszeit**, -en	season
die **Jeans** (Pl.)	blue jeans
der **Kalender**, -	calendar
die **Kälte**	cold
der **Kilometer**, -	kilometer
die **Klasse**, -n	class
Fahren Sie erste oder zweite Klasse?	Are you travelling first or second class?
das **Kleid**, -er	dress
die **Kleidung**, -en	clothing, clothes
das **Kleidungsstück**, -e	item of clothing

vert	verde
raison	el motivo, -s
port	el puerto, -s
demi-pension	la media pensión, -
arrêt	la parada, -s
attendre à l'arrêt	esperar en la parada
sac à main	el bolso de mano, -s
dur	duro
travailler dur	trabajar duro
détester qqch/qqn	odiar
Je déteste l'été.	Odio el verano.
violent	violento, fuerte
un orage violent	una tormenta violenta
aider qqn	ayudar
Puis-je vous aider ?	¿Puedo ayudarle?
chemise	la camisa, -s
automne	el otoño, -s
ciel	el cielo, -s
y aller	Ir a
Il y a un concert demain : Nous y irons.	Mañana hay un concierto y nosotros vamos.
aller-retour	el viaje de ida y vuelta, -es
canicule	el calor
poli	cortés
pantalon	los pantalones
chien	el perro, -s
idée	la idea, -s
lui, à lui (datif de « er »)	a él (tercera persona singular dativo)
leur, à eux (datif de « sie », pl)	a ellos (tercera persona plural dativo)
vous, à vous (datif de « Sie »)	a usted(es) (tercera persona plural dativo)
lui, à elle (datif de « sie », sg)	a ella (tercera persona singular dativo)
se renseigner (réflexif)	informarse (v. refl.)
Je peux me renseigner à la gare.	Me puedo informar en la estación.
l'île	la isla, -s
aller sur une île	viajar a la isla
le train express interurbain	el intercity
quelque part	en algún lugar
veste	la chaqueta, -s
saison	la estación del año
une paire de jeans	los tejanos
calendrier	el calendario, -s
froid	el frío
kilomètre	el kilómetro, -s
classe	la clase, -s
Voyagez-vous en première ou en deuxième classe ?	¿Viaja en primera o en segunda clase?
robe	el vestido, -s
vêtement, habit	la ropa, la vestimenta, -s
vêtement	la pieza de ropa, -s

der **Koffer**, -	suitcase
der **Kontinent**, -e	continent
die **Landung**, -en	landing
lassen [er lässt, er hat gelassen] + A	to leave sth/sb (somewhere)
Lass den Regenschirm hier!	Leave the umbrella here!
leicht	light, somewhat
leicht bewölkt	somewhat cloudy
das **Licht**, -er	light
lieben [er hat geliebt] + A	to love sth/sb
Ich liebe die Sonne.	I love the sun.
Ich liebe dich.	I love you.
am liebsten	best
das **Lotto**	lottery
im Lotto 2000 Euro gewinnen	to win 2000 euros at the lottery
das **Mädchen**, -	girl
der **Mantel**, ¨	coat
das **Menü**, -s	menu
das **Meer**, -e	sea
ans Meer fahren	to go to the seaside
die **Meldung**, -en	message, communication
mir (Dativ von „ich")	me, for me, to me (dative for "ich")
mitbringen [er bringt mit, er hat mitgebracht] + A	to bring sth along/with you
Aus Norwegen bringe ich viele Geschenke mit.	I'll bring with me many gifts from Norway.
mitnehmen [er nimmt mit, er hat mitgenommen] + A	to take sth with you
Ich nehme meine Badehose in den Urlaub mit.	I'll take my bathsuit with me on holiday.
das **Modegeschäft**, -e	fashion shop
nächst-	next
das **Nachthemd**, -en	nightdress, nightshirt
der **Nebel**, -	fog
neblig	foggy
die **Nordsee**	North Sea
an die Nordsee fahren	to go to the North Sea
die **Oma**, -s	Grandma
der **Opa**, -s	Grandpa
zu Opa fahren	to go to see Grandpa
die **Ostsee**	Baltic Sea
an die Ostsee fahren	to go to the Baltic Sea
das **Paar**, -e	pair
ein Paar Schuhe/Socken	a pair of shoes/socks
packen [er hat gepackt] + A	to pack sth
den Koffer packen	to pack the suitcase
der **Pass**, ¨e	passport
der **Passagier**, -e	passenger
passen [er hat gepasst] + D	to fit sb
Das Sommerkleid passt mir nicht.	The summer cloth does not fit me.
die **Passkontrolle**, -n	passport control
die **Postkarte**, -n	postcard
der **Pullover**, -	pullover

Français	Español
valise	la maleta, -s
continent	el continente, -s
atterrissage	el aterrizaje, -s
laisser qqch/qqn quelque part	dejar
Laisse le parapluie ici !	¡Deja el paraguas aquí!
léger	ligero
légèrement couvert/nuageux	ligeramente nublado
lumière	la luz, -ces
aimer qqn/qqch	amar
J'aime le soleil.	Me encanta el sol.
Je t'aime.	Te amo.
surtout, avant tout, de préférence	lo preferido
loto	la lotería
gagner 2000 euros au loto	ganar 2000 euros en la lotería
fille	la chica, -s
manteau	el abrigo, -s
menu	el menú, la carta, -s
mer	el mar, -es
aller à la mer	viajar al mar
annonce	mensaje
me, à moi (datif de « ich »)	a mí
ramener, apporter qqch	traer consigo
Je ramène beaucoup de cadeaux du Norvège.	Me he traído muchos regalos de Noruega.
emmener qqch	llevarse consigo
J'emmène mon maillot de bain en vacances.	Me llevo el bañador para las vacaciones.
magasin de mode, boutique	la tienda de modas, -s
le plus proche, suivant	siguiente
chemise de nuit	el camisón, -es
brouillard	la niebla, -s
brumeux	neblinoso
Mer du Nord	mar del norte
aller à la Mer du Nord	ir al mar del norte
grand-mère/mamie	la abuela, -s
grand-père/papi	el abuelo, -s
aller chez Papi	ir a casa del abuelo
Mer Baltique	el Báltico
aller à la Mer Baltique	ir al Báltico
paire	un par, -es
une paire de chaussures/chaussettes	un par de zapatos, calcetines
faire les valises	empaquetar
faire les valises	hacer la maleta
passeport	el pasaporte, -s
passager	el pasajero, -s
aller bien à qqn, être à la taille de qqn	sentar bien, quedar bien
La robe d'été n'est pas à ma taille.	El vestido de verano no me queda bien.
contrôle des passeports	el control de pasaportes, -es
carte postale	la tarjeta postal, -s
pull	el jersey, el pulóver, -s

der **Regen**, -	rain
die **Regenjacke**, -n	rain jacket
der **Regenschirm**, -e	umbrella
es regnet [es hat geregnet]	it is raining, it rains
die **Reise**, -n	journey, trip
eine Reise machen/unternehmen	to go on a trip/to undertake a trip
Gute Reise!	Have a good trip!
die **Reisetasche**, -n	travelling bag
die **Reisevorbereitung**, -en	preparations for a journey
das **Reiseziel**, -e	destination
die **Richtung**, -en	direction
der **Rock**, ̈e	skirt
rot	red
die **Rückfahrkarte**, -n	return ticket
die **Rückfahrt**, -en	way back
der **Rucksack**, ̈e	backpack
scheinen [hat geschienen] (Sonne)	to shine (sun)
Die Sonne scheint.	The sun is shining.
schwarz	black
der **Sitzplatz**, ̈e	seat
stehen [er hat gestanden] + D	to suit sb
Diese Brille steht dir nicht.	These glasses don't suit you.
Skandinavien	Scandinavia
das **Schaufenster**, -	shop window
der **Schlafanzug**, ̈e	pyjamas
schmecken [es hat geschmeckt] + D	to like (taste)
Die Suppe schmeckt mir gut.	I like the soup.
der **Schnee**	snow
es schneit [es hat geschneit]	it is snowing, it snows
der **Schuh**, -e	shoe
die **See**, -n	sea (in Northern Europe)
der **Spielplatz**, ̈e	playground
die **Socke**, -n	sock
der **Sommer**, -	summer
sondern	but
die **Sonne**, -n	sun
die **Sonnenbrille**, -n	sun glasses
die **Sonnencreme**, -s	sun cream
sonnig	sunny
stark	strong
Es regnet stark.	It's heavy rain.
starten [er startet, er hat gestartet] + A	to start (a device, a machine)
den Computer neu starten	to restart the computer
der **Stau**, -s	traffic jam
im Stau stehen	to be stuck in a traffic jam
die **Staumeldung**, -en	traffic information
der **Strand**, ̈e	seaside
an den Strand gehen	to go to the seaside

Chapitre 6

Capítulo 6

pluie	la lluvia, -s
imperméable	el chubasquero, -s
parapluie	el paraguas, -
il pleut	llueve
voyage	el viaje, -s
faire/entreprendre un voyage	hacer un viaje
Bon voyage !	¡Buen viaje!
sac de voyage	la bolsa de viaje, -s
préparatifs de voyage	la preparación del viaje, -es
destination	el destino, -s
direction	la dirección, -s
jupe	la falda, -s
rouge	rojo
billet de retour	el billete de vuelta,-s
voyage de retour, retour	la vuelta, -s
sac à dos	la mochila, -s
briller (soleil)	brillar (el sol)
Le soleil brille.	Brilla el sol.
noir	negro
siège, place (dans le train)	el asiento, -s
aller bien à qqn	estar de pie
Ces lunettes ne te vont pas bien.	Las gafas no te quedan bien.
Scandinavie	Escandinavia
vitrine	el escaparate, -s
pyjama	el pijama, -s
aimer, plaire à qqn (goût)	gustar
J'aime bien la soupe.	La sopa me gusta.
neige	la nieve
il neige	nieva
chaussure	el zapato, -s
mer (au Nord)	el mar, -es
terrain de jeux, air de jeux	el parque infantil, -s
chaussette	el calcetín, -es
été	el verano, -s
mais	sino (conj.)
soleil	el sol, -es
lunettes de soleil	gafas de sol
crème solaire	crema de sol, -s
ensoleillé	soleado
fort	fuerte
Il pleut fort.	Llueve mucho.
mettre en marche qqch, démarrer qqch	arrancar, encender
redémarrer l'ordinateur	rearrancar el ordenador
embouteillage	el atasco, -s
être bloqué dans un embouteillage	estar en un atasco
informations sur les relentissements	el mensaje de retenciones, -s
plage	la playa, -s
aller à la plage	ir a la playa

Deutsch	English
die **Strumpfhose**, -n	stocking
der **Sturm**, ⸚e	storm
stürmisch	stormy
die **Tageshöchsttemperatur**, -en	highest daily temperature
die **Tasche**, -n	bag
teilweise	partly
Der Himmel ist teilweise bewölkt.	The sky is partly cloudy.
die **Temperatur**, -en	temperature
tragen [er trägt, er hat getragen] + A	to wear sth
ein grünes Hemd tragen	to wear a green shirt
träumen [er hat geträumt von] + D	to dream of sth/sb
Ich träume von Eis und Espresso in Italien.	I dream of icecream and espresso in Italy.
das **T-Shirt**, -s	T-shirt
der **Tourist**, -en	tourist
der **Turnschuh**, -e	sport shoe
überhaupt nicht	not at all
Den Winter mag ich überhaupt nicht.	I don't like the winter at all.
die **Übernachtung**, -en	overnight stay
umsteigen [er steigt um, er ist umgestiegen]	to change (train)
In München müssen Sie umsteigen.	You have to change in Munich.
umtauschen [er tauscht um, er hat umgetauscht] + A	to exchange sth
Das Hemd ist zu klein, ich tausche es um.	The shirt is too small, I'll exchange it.
unhöflich	impolite
uns (Dativ von „wir")	us, for us, to us (dative for "wir")
der **Urlaub**, -e	holiday
in Urlaub gehen	to go on holiday
im Urlaub sein	to be on holiday
das **Urlaubserlebnis**, -se	holiday experience
über Urlaubserlebnisse berichten	to tell about a holiday
der **Verkäufer**, -	seller (m)
die **Verkäuferin**, -nen	seller (f)
die **Vereinigten Staaten** (Pl.)	United States
in die Vereinigten Staaten reisen	to travel to the United States
verfügen [er hat verfügt über] + A	to dispose of sth
Das Hotel verfügt über ein Schwimmbad.	The hotel disposes of/has a swimming pool.
das **Verkehrsmittel**, -	means of transportation
die **Verspätung**, -en	delay
Der Zug hat eine Verspätung von 10 Minuten.	The train is delayed by 10 minutes.
wählen [er hat gewählt] + A	to choose sth/sb
die **Wärme**	warmth
warten [er wartet, er hat gewartet auf] + A	to wait for sth/sb
wegfallen [er fällt weg, er ist weggefallen]	to be omitted
Der Umlaut fällt weg.	The umlaut is omitted.
wehen [hat geweht] (Wind)	to blow (wind)
Der Wind weht.	The wind is blowing.
das **Wellnesshotel**, -s	wellness hotel
wem? (Dativ von „wer?")	whom? for whom? to whom? (dative for "wer?")
das **Wetter**, -	weather

collant	las medias, los pantys
orage	la tormenta, -s
orageux	tormentoso
température maximale de la journée	la temperatura máxima del día, -s
poche, sac	la bolsa, -s
en partie, partiellement	parcialmente
Le ciel est en partie couvert.	El cielo está parcialmente nublado.
température	la temperatura, -s
porter qqch	llevar puesto/a
porter une chemise verte	Lleva puesta una camisa verde.
rêver de qqch/qqn	soñar
Je rêve de glace et d'expresso en Italie.	Sueño con el helado y el expresso en Italia.
t-shirt	la camiseta, -s
touriste	el turista, -s
baskets	la zapatilla deportiva, -s
pas du tout	en absoluto
Je n'aime pas du tout l'hiver.	El invierno no me gusta en absoluto.
(le fait de passer la) nuit hors de chez soi	pernoctación, -es
changer (de train)	cambiar (de trenes)
Vous devez changer à Munich.	En Munich debe cambiar de tren.
échanger qqch	descambiar
La chemise est trop petite, je vais l'échanger.	Esta camisa es demasiado pequeña, la descambio.
impoli	descortés
nous, à nous (datif de « wir »)	a nosotros (primera persona plural dativo)
vacances	las vacaciones
partir/aller en vacances	ir de vacaciones
être en vacances	estar de vacaciones
événements vécus pendant les vacances	las experiencias de vacaciones
raconter ses vacances	contar las vacaciones
vendeur	el vendedor, -es
vendeuse	la vendedora, -s
Etats-Unis	los Estados Unidos
aller/faire un voyage aux Etats-Unis	viajar por los Estados Unidos
disposer de qqch	disponer
L'hôtel a/dispose d'une piscine.	El hotel dispone de una piscina
moyen de transport	el medio de transporte, -s
retard	el retraso, -s
Le train a 10 minutes de retard.	El tren tiene un retraso de 10 minutos.
choisir qqch/qqn	escoger
chaleur	el calor
attendre qqch/qqn	esperar
être omis	desaparecer
L'umlaut est omis.	La diéresis desaparece.
souffler (vent)	soplar (el viento)
Le vent souffle.	El viento sopla.
hôtel de remise en forme, centre de cure	el balneario, -s
à qui ? (datif de « wer ? »)	¿a quién?
temps (météo)	tiempo (meteorológico)

der **Wind**, -e	wind
windig	windy
der **Winter**, -	winter
die **Wolke**, -n	cloud
wollen [er will, er hat gewollt]	to want
womit?	here: how? by what means of transportation?
wunderbar	marvellous, beautiful
Wir haben wunderbares Wetter.	We have beautiful weather.
wunderschön	magnificent, beautiful
Die Insel ist wunderschön.	The island is magnificent.
die **Zeichnung**, -en	drawing
zurückgeben [er gibt zurück, er hat zurückgegeben] + A	to return sth
die neuen Schuhe zurückgeben	to return the new shoes

▨ Kapitel 6: Teil B

▨ Chapter 6: Part B

abschneiden [er schneidet ab, er hat abgeschnitten]	to achieve (results)
Deutschland schneidet beim Test gut ab.	Germany has achieved good results at the test.
achten [er achtet, er hat geachtet auf] + A	to pay attention to sth, to care for sth
auf die Qualität achten	to pay attention to quality
Angst haben [er hatte Angst vor] + D	to fear sth/sb, to be scared of sth/sb
ausländisch	foreign
behalten [er behält, er hat behalten] + A	to keep
das Geld behalten	to keep the money
befragt-	interviewed
die befragten Menschen	the interviewed persons
beruflich	professional
bestätigen [er hat bestätigt] + A	to confirm sth
der **Bundesbürger**, -	German citizen
die **Diplomarbeit**, -en	diploma paper
deutlich	clear
die **Doktorarbeit**, -en	PhD dissertation, thesis
familiär	family (adj)
finanziell	financial
fremd	strange, foreign
fremde Länder	foreign countries
gerade	right now, at the moment
gerade einen Roman schreiben	to be writing a novel at the moment
gesundheitlich	health-related
gesundheitliche Probleme haben	to have health problems
gleichzeitig	at the same time
das **Interesse**, -n	interest
Interesse für fremde Länder haben	to be interested in foreign countries
die **Kriminalität**	crime, delinquency
die **Qualität**, -en	quality
das **Resultat**, -e	result
die **Ruhe**	calm
die **Sauberkeit**	tidiness, cleanness

Chapitre 6	Capítulo 6
vent	viento, -s
venteux	ventoso
hiver	el invierno
nuage	la nube, -s
vouloir	querer
ici : comment ? par quel moyen de transport ?	¿Con qué?
merveilleux	maravilloso
Nous avons un temps merveilleux.	Tenemos un tiempo maravilloso.
magnifique	precioso
L'île est magnifique.	La isla es preciosa.
dessein	el dibujo
rendre, retourner qqch	devolver
retourner les nouvelles chaussures	devolver los zapatos nuevos

▦ Chapitre 6 : Partie B   ▦ Capítulo 6: Parte B

Chapitre 6 : Partie B	Capítulo 6: Parte B
obtenir, remporter (résultat)	recortar, truncar, salir peor/bien parado
L'Allemagne obtient/remporte de beaux succès au test.	Alemania sale del Test bien parada.
veiller à qqch, faire attention à qqch	estar atento, tener en consideración
veiller à la qualité	tener la calidad en consideración
avoir peur de qqch	tener miedo
étranger	extranjero
garder qqch	guardar
garder/économiser l'argent	guardar el dinero
interviewé	interrogado/a
les personnes interviewées	las personas interrogadas
professionnel, professionnellement	profesional
affirmer qqch, confirmer qqch	confirmar
citoyen allemand	el ciudadano alemán, -s
mémoire de fin d'études	el proyecto final de carrera, -s
clair, clairement	claro
thèse de doctorat	la tesis doctoral, -
familial	familiar
financier (adj.)	financiero
étranger, inconnu	extraño
pays étrangers	tierras extrañas, extranjeras
ici : en ce moment	ahora, en este momento
écrire un roman (en ce moment)	escribir una novela (en este momento)
sanitaire, de santé	de salud
avoir des problèmes de santé	tener problemas de salud
en même temps	simultáneo
intérêt	el interés, -es
s'intéresser à des pays étrangers	tener interés en tierras extranjeras
criminalité, délinquance	la criminalidad
qualité	la calidad, -es
résultat	el resultado, -s
tranquillité, calme	la tranquilidad
propreté	la limpieza

sonstig-	other
sonstige Gründe	other reasons
die **Studie**, -n	study
der **Terror**	terrorism
der **Test**, -s	test
testen [er testet, er hat getestet] + A	to test sth/sb
der **Testsieger**, -	test winner
überraschend	surprising
die **Umfrage**, -n	survey
unbekannt	unknown
die **Unterkunft**, ¨e	accomodation
der **Urlauber**, -	vacationer
der **Urlaubsort**, -e	holiday resort

▨ Kapitel 7: Teile A, C, D

▨ Chapter 7: Parts A, C and D

abbiegen [er biegt ab, er ist abgebogen]	to turn
links/rechts abbiegen	to turn left/right
abschließen [er schließt ab, er hat abgeschlossen] + A	to lock sth
die Haustür abschließen	to lock the house door
der **Abteilungsleiter**, -	head of department
der **Alkohol**	alcohol
an + A (Wohin?), + D (Wo?)	on + acc. (direction), + dat. (location)
Ich hänge ein Bild an die Wand.	I am hanging a picture on the wall.
Das Bild hängt an der Wand.	The picture is hanging on the wall.
der **Arbeitgeber**, -	employer
das **Arbeitszimmer**, -	office
auf + A (Wohin?), + D (Wo?)	on + acc. (direction), + dat. (location)
Ich lege den Teppich auf den Boden.	I'm laying the carpet on the floor.
Der Teppich liegt auf dem Boden.	The carpet is lying on the floor.
aufhängen [er hängt auf, er hat aufgehängt] + A	to hang up sth
den Mantel aufhängen	to hang up the coat
der **Ausblick**, -e	view
einen schönen Ausblick über die Stadt haben	to have a beautiful view of the city
ausgehen [er geht aus, er ist ausgegangen]	to go out
die **Aussicht**, -en	view
eine tolle Aussicht haben	to have a fantastic view
der **Bäcker**, -	baker
die **Badbenutzung**	use of the bathroom
baden [er badet, er hat gebadet]	to take a bath
der **Ball**, ¨e	ball
das **Bauernhaus**, ¨er	farmhouse
die **Bedeutung**, -en	meaning
synonyme Bedeutung haben	to have similar meanings
der **Begriff**, -e	term
besichtigen [er hat besichtigt] + A	to visit sth (house)
die Wohnung besichtigen	to visit the flat

Chapitre 6	Capítulo 6
autre	otra
d'autres raisons	otras razones
étude	el estudio, -s
terreur, terrorisme	el terror
test	el test, -s
tester qqch/qqn	probar
gagnant/le meilleur au test	el vencedor del test, de la prueba
surprenant	sorprendente
sondage	la encuesta, -s
inconnu	desconocido
hébergement	la alojamiento, -s
vacancier	el que está de vacaciones, -
centre de villégiature	el lugar de vacaciones, -es

■ Chapitre 7 : Partie A, C et D   ■ Capítulo 7: Partes A, C y D

tourner	girar
tourner à gauche/à droite	Girar a la derecha/ a la izquierda
fermer qqch à clé	Cerrar
fermer la porte d'entrée à clé	cerrar la puerta de la casa
chef de département, chef de rayon	el director de división, -s
alcool	el alcohol
à + acc. (direction), + dat. (lieu)	en, a
J'accroche un tableau au mur.	Cuelgo un cuadro en la pared.
Le tableau est accroché au mur.	El cuadro cuelga de la pared.
employeur	el empleador, -es
bureau (lieu)	la habitación de trabajo, -es
sur + acc. (direction), + dat. (lieu)	sobre, en
J'étends le tapis sur le sol.	Extiendo la alfombra en el suelo.
Le tapis se trouve sur le sol.	La alfombra está en el suelo.
accrocher	colgar
accrocher le manteau	colgar el abrigo
vue	la vista, -s
avoir une belle vue sur la ville	tener una buena vista de la ciudad
sortir	salir
vue	la vista, -s
avoir une vue fantastique	tener una vista estupenda
boulanger	el panadero, -s
utilisation de la salle de bains	la utilización del baño
prendre un bain	bañarse
ballon	la pelota, -s
maison de ferme	la casa rural, -s
signification	el significado, -s
avoir le même sens	tener significados sinónimos
terme	el concepto, -s
visiter qqch	visitar
visiter l'appartement	visitar el piso

bewerten [er bewertet, er hat bewertet] + A	evaluate sth
Bewerten Sie die Angaben positiv oder negativ?	Would you consider the following things to be positive or negative?
der **Bewohner**, -	inhabitant
der **Bibliothekar**, -e	librarian
der **Blick**, -e	view
Wohnung mit Blick über die Stadt	a flat with view of the city
der **Blumenkasten**, ⁞	window box
der **Blumentopf**, ⁞e	flower pot
die **Blumenvase**, -n	vase
der **Bücherschrank**, ⁞e	bookcase
die **Couch**, -s	couch
der **Couchtisch**, -e	coffee table
das **Dach**, ⁞er	roof
das **Detail**, -s	detail
direkt	direct, right
Das Zimmer liegt direkt unter dem Dach.	The room is directly under the roof.
der **Direktor**, -en	director
das **Dorf**, ⁞er	village
dorthin	there (direction)
Wie komme ich dorthin?	How can I get there?
dürfen [er darf, er hat gedurft]	may, to be allowed to
Hier darf man nicht rauchen.	You may not smoke here.
duschen [er hat geduscht]	to take a shower
eigen-	own
eine eigene Wohnung haben	to have a flat on one's own
die **Einbauküche**, -n	built-in kitchen
das **Einfamilienhaus**, ⁞er	family house
die **Einkaufsmöglichkeit**, -en	shopping opportunity
das **Einkommen**, -	income
einrichten [er richtet ein, er hat eingerichtet] + A	to arrange sth
die Wohnung einrichten	to arrange the flat
Entschuldigung!	Excuse-me!
Entschuldigung! Hier dürfen Sie nicht rauchen.	Excuse-me! You may not smoke here.
das **Erdgeschoss**	ground floor
im Erdgeschoss wohnen	to live on the ground floor
erfinden [er erfindet, er hat erfunden] + A	to invent
die **Erlaubnis**, -se	permission, authorisation
der **Esstisch**, -e	kitchen table
das **Esszimmer**, -	dining room
die **Etage**, -n	floor
in der zweiten Etage wohnen	to live on the 2nd floor
der **Fahrstuhl**, ⁞e	elevator
feiern [er hat gefeiert] + A	to celebrate sth
fiktiv	fictive
der **Finanzberater**, -	financial consultant
der **Flur**, -e	corridor

Français	Español
évaluer qqch/qqn	valorar
Les éléments suivants, sont-ils selon vous positifs ou négatifs ?	¿Valora Usted los datos positiva o negativamente?
habitant	el habitante, -s
bibliothécaire	la biblioteca, -s
vue	las vistas
appartement avec vue sur la ville	piso con vistas a la ciudad
bac de fleurs	la jardinera, -
pot de fleurs	el tiesto, -s
vase	el florero, -s
bibliothèque (meuble)	la librería, -s
canapé	el sofá, -s
table basse	la mesilla de sofá, -s
toit	el techo, -s
détail	el detalle, -s
direct, juste	directo, justamente, justo
La chambre est juste au-dessous du toit.	La habitación está justo debajo del techo.
directeur	el director, -es
village	el pueblo, -s
là-bas (direction)	allí
Comment est-ce que j'arrive là-bas ?	¿Cómo llego allí?
pouvoir, avoir la permission, être autorisé	poder, está permitido
On ne peut pas fumer ici./Il est interdit de fumer ici.	Aquí no se permite fumar.
prendre une douche	ducharse
propre	propio
avoir son propre appartement	tener un piso propio
cuisine intégrée	cocina integrada, -s
la maison (de famille)	casa unifamiliar, -s
choix de magasins	las posibilidades de compra
revenu	los ingresos, -
aménager qqch	amueblar
aménager l'appartement	amueblar un piso
Pardon ! Excusez-moi !	¡disculpe!
Excusez-moi ! Vous ne pouvez pas fumer ici.	¡Disculpe! Aquí no puede fumar.
rez-de-chaussée	la planta baja
habiter au rez-de-chaussée	vivir en una planta baja
inventer qqch	inventar
permission, autorisation	el permiso, -s
table sur laquelle on mange	la mesa de comedor, -s
salle à manger	el comedor, -es
étage	el piso (nivel), -s
habiter au deuxième étage	vivir en el segundo piso
ascenseur	el ascensor, -es
fêter qqch	celebrar (algo)
fictif	ficticio
consultant financier	el asesor financiero, -es
couloir, corridor	el pasillo, -s

der **Fuß**, "e	foot
zu Fuß gehen	to go on foot
der **Fußboden**, "	floor
die **Fußbodenheizung**, -en	floor heating
der **Fußweg**, -e	footpath, footway
die **Garage**, -n	garage
die **Garderobe**, -n	wardrobe
die **Gardine**, -n	curtain
das **Gästezimmer**, -	guestroom
die **Gegend**, -en	neighbourhood
In der Gegend gibt es zwei Kinos.	There are two cinemas in the neighbourhood.
gehören [er hat gehört zu] + D	to belong to sth/sb
Zu diesem Haus gehört ein Garten.	A garden belongs to this house.
gemeinsam	common
gemeinsame Badbenutzung	common use of bathroom
geradeaus	straight on
Fahren Sie geradeaus.	Drive straight on!
die **Gesamtkosten** (Pl.)	total costs
der **Geschirrspüler**, -	dishwasher
das **Geschlecht**, -er	gender
gleich	same
Alle Hausordnungen sind nicht gleich.	All house regulations are not the same.
glücklich	happy
grillen [er hat gegrillt] + A	to grill, to barbecue
Fleisch grillen	to grill meat
die **Großeltern** (Pl.)	grandparents
die **Großstadt**, "e	metropolis
die **Grünanlage**, -n	green area
halten [er hält, er hat gehalten] + A	to hold, to have sth
Haustiere halten	to have domestic animals
den Spielplatz sauber halten	to keep the playground tidy
hängen [er hat gehangen] (Wo?)	to hang (location)
Das Bild hängt an der Wand.	The picture is hanging on the wall.
hängen [er hat gehängt] + A (Wohin?)	to hang sth (direction)
Ich hänge das Bild an die Wand.	I am hanging the picture on the wall.
die **Hausarbeit**	household task
die Hausarbeit machen	to do the household tasks
die **Hausordnung**, -en	rules of the house
der **Hausmüll**	household garbage
die **Haustür**, -en	housedoor
die **Heizung**, -en	heating
die **Hektik**	hectic
der **Herd**, -e	cooker
die **Himmelsrichtung**, -en	point of the compass
hinter + A (Wohin?), + D (Wo?)	behind + acc. (direction), + dat. (location)
der **Hobbykoch**, "e	hobby cook
hoch [höher, am höchsten]	high, higher, the highest

pied	el pie, -s
aller à pied	ir a pie
plancher, sol	el suelo, -s
plancher chauffant	la calefacción de suelo, -es
trottoir	el camino, -s
garage	el garaje, -s
garde-robe	el guardarropa, -s
rideau	la cortina, -s
chambre d'amis	la habitación de invitados, -es
quartier	el entorno, -s
Il y a deux cinémas dans le quartier.	Hay dos cines en el entorno.
appartenir à qqch/qqn	pertenece
Cette maison possède/a un jardin.	A esta casa le corresponde un jardín.
commun	común, comunitario
usage partagé de la salle de bains	uso comunitario del baño
tout droit	derecho
Allez tout droit !	Siga de frente
totalité des frais	gastos comunes
lave-vaisselle	el lavavajillas, -
genre	el sexo, -s
pareil, identique, le même	igual
Les règlements intérieurs de l'immeuble ne sont pas partout les mêmes.	No todas las ordenanzas son iguales.
heureux	feliz
griller	hacer a la parrilla
griller de la viande	hacer carne a la parrilla
grands-parents	los abuelos
métropole	la gran ciudad, -es
espace vert	el ajardinado, -s
tenir qqch	tener, mantener
avoir des animaux domestiques	tener animales domésticos
garder le terrain de jeux propre	mantener el patio limpio
pendre, être accroché (lieu)	colgar (de)
Le tableau est accroché au mur.	El cuadro cuelga de la pared.
accrocher qqch (direction)	colgar (en)
J'accroche un tableau au mur.	Cuelgo el cuadro en la pared.
travaux domestiques	el trabajo de casa
faire les travaux domestiques	hacer el trabajo de casa
règlement intérieur (d'un immeuble)	las ordenanzas de la casa
déchets domestiques	la basura
porte d'entrée	la puerta de la casa, -s
chauffage	la calefacción, -es
vie trépidante/mouvementée	el ajetreo
cuisinière	el horno, -s
point cardinal	la dirección cenital, -es
derrière + acc. (direction), + dat. (lieu)	detrás
cuisinier amateur	el cocinero por hobby, -s
haut, plus haut, le plus haut	alto, más alto, el más alto

das **Hochhaus**, ̈er	building
der **Hocker**, -	stool
der **Hof**, ̈e	courtyard, court
im Hof spielen	to play in the courtyard
hoffen [er hat gehofft]	to hope
Ich hoffe, du besuchst mich bald.	I hope that you'll come to see me soon.
horizontal	horizontal
die **Immobilienagentur**, -en	real estate agency
der **Immobilienmakler**, -	real estate agent
in + A (Wohin?), + D (Wo?)	to, in + acc. (direction), in + dat. (location)
Ich gehe ins Restaurant.	I go to the restaurant.
Ich bin im Restaurant.	I am at the restaurant.
der **Innenhof**, ̈e	inner courtyard
die **Innenstadt**, ̈e	city centre
die **Kaltmiete**, -n	rent (without utilities)
der **Kartoffelesser**, -	The Potato Eaters
der **Karton**, -s	paper box
die **Kasse**, -n	cash desk
an der Kasse bezahlen	to pay at the cash desk
der **Keller**, -	cellar
kinderfreundlich	child-friendly
der **Kindergarten**, ̈	kindergarden
das **Kinderzimmer**, -	childrens' room
die **Klarinette**, -n	clarinet
der **Kleiderschrank**, ̈e	wardrobe
die **Kleinstadt**, ̈e	small town
die **Klingel**, -n	door bell
die **Kommode**, -n	chest of drawers, commode
das **Krankenhaus**, ̈er	hospital
der **Kreisverkehr**	roundabout
Im Kreisverkehr fahren Sie nach links.	Turn left at the roundabout!
die **Kreuzung**, -en	intersection
An der Kreuzung gehen Sie nach rechts.	Turn right at the intersection!
die **Küche**, -n	kitchen
die **Küchenmöbel** (Pl.)	kitchen furniture
die **Lage**, -n	location
Die Wohnung hat eine ruhige Lage.	The flat is located in a calm area.
das **Land**	here: countryside
auf dem Land wohnen	to live on the countryside
der **Lärm**	noise
lebhaft	lively
lebhafte Umgebung	lively area
legen [er hat gelegt] + A (Wohin?)	to lay sth, to put sth (direction)
Ich lege den Teppich unter das Fenster.	I'm laying the carpet under the window.
leidtun + D	to be sorry
Es tut mir leid.	I am sorry.
das **Lieblingszimmer**, -	favourite room

Chapitre 7

Capítulo 7

building	el edificio, -s
tabouret	el taburete, -s
cour	el patio, -s
jouer dans la cour	jugar en el patio
espérer	esperar
J'espère que tu viendras me voir bientôt.	Espero que me visites pronto.
horizontal	horizontal
agence immobilière	la agencia inmobiliaria, -s
agent immobilier	el agente inmobiliario, -s
dans + acc. (direction), + dat. (lieu)	en
Je vais au restaurant.	Entro en el restaurante.
Je suis dans le restaurant.	Estoy en el restaurante.
cour intérieure	el patio interior, -s
centre-ville, cité	el centro de la ciudad, -s
loyer sans les charges	el alquiler sin costes, -es
Les mangeurs de pommes de terre	«los comedores de patatas» (Van Gogh)
carton, boîte	la caja (de mudanzas), -s
caisse	la caja (de pago), -s
payer à la caisse	pagar en la caja
cave	el trastero (sótano), -s
endroit adapté aux besoins des enfants	apto para niños
école maternelle	la guardería, -s
chambre d'enfant	la habitación de los niños, -s
clarinette	el clarinete, -s
armoire (pour les habits), garde-robe	el armario ropero, -s
petite ville	la pequeña ciudad
sonnette	el timbre, -s
commode	la cómoda, -s
hôpital	el hospital, -es
rond-point	la circunvalación
Tournez à gauche au rond-point !	En la circunvalación, gire a la izquierda
carrefour, intersection	el cruce
Tournez à droite au carrefour !	En el cruce, vaya a la derecha.
cuisine	la cocina, -s
mobilier de cuisine	los muebles de cocina (pl)
situation	el lugar, -es, el emplazamiento, -s
L'appartement est situé dans une rue calme.	El piso está en un lugar tranquilo.
ici : campagne	el campo
habiter à la campagne	vivir en el campo
bruit	el ruido
vif, vivant, animé	con vida
environnement animé	entorno con vida
poser, mettre + A (direction)	extender
Je pose le tapis sous la fenêtre.	Extiendo la alfombra bajo la ventana.
faire/causer de la peine, du chagrin	sentir(lo)
Je suis désolé.	lo siento.
chambre préférée	habitación favorita, -es

link-	left
auf der linken Seite	on the left hand side
links	left, to/on the left
An der Kreuzung gehen Sie nach links.	Turn left at the intersection.
Die Goethestraße ist die zweite Straße links.	The Goethe Street is the second street on the left.
der **Makler**, -	real estate agent
manch-	some
manche Leute	some people
männlich	masculine
maximal	maximum
mehr	more (statement), not any … else (negation)
Mehr brauche ich im Moment nicht.	I don't need anything else at the moment.
das **Mehrfamilienhaus**, ̈er	housing estate
die **Miete**	rent
550 Euro Miete zahlen	to pay a rent of 550 euros
mieten [er mietet, er hat gemietet] + A	to rent sth
eine Wohnung mieten	to rent a flat
der **Mieter**, -	tenant
der **Mieterverband**, -e	tenants' association
die **Mietwohnung**, -en	rented flat
die **Mittagsruhe**, -n	siesta, afternoon rest
der **Mittelpunkt**, -e	centre
im Mittelpunkt stehen	to be the centre of interest
monatlich	monthly
monatliches Einkommen	monthly income
der **Monatsanfang**, ̈e	beginning of the month
am Monatsanfang	at the beginning of the month
die **Nachtruhe**	sleep, nighttime peace
nah [näher, am nächsten]	close, closer, the closest
die **Nationalität**, -en	nationality
neben + A (Wohin?), + D (Wo?)	next to + acc. (direction), + dat. (location)
Ich stelle den Stuhl neben den Tisch.	I am putting the chair next to the table.
Der Stuhl steht neben dem Tisch.	The chair is next to the table.
die **Nebenkosten** (Pl.)	additional costs, utilities
der **Norden**	North
Das Wohnzimmer liegt im Norden.	The living room is located on the northern side (of the house).
offen	open
offene Küche	open kitchen
der **Osten**	East
Das Arbeitszimmer liegt im Osten.	The office is located on the eastern side.
öffentlich	public
öffentliche Verkehrsmittel (Pl.)	public tranportation
das **Quadratmeter**, -	square meter
die **Querstraße**, -n	crossroad
passen [er hat gepasst] + D	to suit sb
Passt es Ihnen um 14 Uhr?	Would 2 o'clock suit you?
die **Pflanze**, -n	plant

gauche	izquierda
sur le côté gauche	en el lado izquierdo
à gauche	a izquierdas
Tournez à gauche au carrefour.	En el cruce, vaya a la izquierda.
La rue Goethe est la deuxième rue à gauche.	La Goethestrasse es la segunda calle a la izquierda.
agent immobilier	el agente inmobiliario, -s
quelques	alguno/s
quelques personnes	alguna gente
masculin	masculino
maximal	como máximo
plus	más
Je n'ai besoin de rien d'autre en ce moment.	Ahora no necesito nada más.
immeuble collectif	la casa plurifamiliar, -s
loyer	el alquiler
payer 550 euros de loyer	pagar 550 euros de alquiler
louer qqch	alquilar (como arrendatario)
louer un appartement	alquilar un piso
locataire	el arrendatario, -s
association de défense des locataires	la asociación de arrendatarios
appartement loué	el piso de alquiler, -s
heures de la sieste	la pausa/tranquilidad de mediodía,-s
centre, milieu	el punto medio, -s
être d'une importance particulière	estar en el punto medio
mensuel	mensual
revenu mensuel	ingresos mensuales
début du mois	el comienzo de mes, -s
au début du mois	a primeros de mes
temps de repos	la tranquilidad de la noche
proche	cerca, más cerca, el más cercano
nationalité	la nacionalidad, -es
à côté de + acc. (direction), + dat. (lieu)	junto (a)
Je place la chaise à côté de la table.	Pongo la silla junto a la mesa.
La chaise se trouve à côté de la table.	La silla está junto a la mesa.
charges (gas, électricité etc.)	los gastos adicionales (pl)
nord	el norte
La salle de séjour est située au nord	La sala de estar está orientada al norte.
ouvert	abierto
cuisine ouverte	cocina abierta (office)
est	el este
Le bureau est situé à l'est.	El despacho está orientado al este.
public	público
transports en commun	transporte público
mètre carré	el metro cuadrado, -s
rue transversale	la calle perpendicular, -s
convenir à qqn	ir bien
14 heures, vous convient-il ?	¿Le va bien a las 2?
plante	la planta, -s

recht-	right
auf der rechten Seite	on the right hand side
rechts	right, on the right, to the right
An der Kreuzung gehen Sie nach rechts.	Turn right at the junction.
Die Bachstraße ist die erste Straße rechts.	The Bach Street is the first street on the right.
das **Reihenhaus**, ⁻er	row house
reinigen [er hat gereinigt] + A	to clean sth
renoviert	renovated
eine renovierte Villa	a renovated villa
respektieren [er hat respektiert] + A	to respect sth/sb
die Hausordnung respektieren	to respect the rules of the house
sauber	clean, tidy
sauber halten [er hält sauber, er hat sauber gehalten] + A	to keep sth tidy
den Spielplatz sauber halten	to keep the playground clean
die **Sauberkeit**	cleanness
das **Schild**, -er	sign, signboard
das **Schlafzimmer**, -	sleeping room
der **Schrank**, ⁻e	cupboard
der **Schornstein**, -e	chimney
die **Schublade**, -n	drawer
die **Seite**, -n	side
auf der rechten/linken Seite	on the right/left hand side
der **Sessel**, -	armchair
die **Sicherheit**	security
der **Ski**, -	ski
das **Sofa**, -s	sofa
solcher (m)/**solche** (f, Pl.)/**solches** (n)	such
Gibt es solche Regeln in Ihrem Haus?	Are there such rules in your house?
die **Sonnenblume**, -n	sunflower
spannend	exciting, thrilling
der **Spiegel**, -	mirror
der **Spielplatz**, ⁻e	playground
das **Spielzeug**, -e	toy
die **Spülmaschine**, -n	dishwasher
die **Stadtmitte**, -n	city centre
in der Stadtmitte wohnen	to live in the city centre
der **Stadtrand**, ⁻e	outskirts, suburbs
am Stadtrand wohnen	to live in the suburbs
die **Stehlampe**, -n	floor lamp
die **Stelle**, -n	position
eine Stelle als Lehrer bekommen	to get a position as a teacher
stellen [er hat gestellt] + A (Wohin?)	to put, place sth (direction)
Ich stelle den Stuhl neben den Tisch.	I'm putting the chair next to the table.
die **Stereoanlage**, -n	stereo system
der **Stift**, -e	pen
stören [er hat gestört] + A	to disturb sth/sb
Laute Musik stört mich nicht.	Loud music doesn't disturb me.
die **Straßenbahn**, -en	tramway

droit	derecha
sur le côté droit	en el lado derecho
à droite	a derechas
Tournez à droite au carrefour.	En el cruce vaya a la derecha.
La rue Bach est la première rue à droite.	La Bachstrasse es la primera calle a la derecha.
maison mitoyenne	el adosado, -s
nettoyer qqch	limpiar
rénové	renovado
une villa renovée	una villa renovada
respecter qqch/qqn	respetar
respecter le règlement intérieur	respetar las ordenanzas de la casa
propre	limpio
garder qqch propre	mantener limpio
garder le terrain de jeux propre	mantener limpio el parque
propreté	la limpieza
pancarte, panneau	la placa, -s
chambre à coucher	el dormitorio, -s
armoire	el armario, -s
cheminée	la chimenea, -s
tiroir	el cajón, -es
côté	el lado, -s
au côté droit/gauche	en el lado derecho/izquierdo
fauteuil	el sillón, -s
sécurité	la seguridad
ski	el esquí, -
canapé	el sofá, -s
tel, telle, tels, telles	ese tipo de
Y-a-t-il de tels règlements dans votre immeuble ?	¿Hay ese tipo de reglas en su casa?
tournesol	el girasol
passionnant	interesante
miroir	el espejo, -s
terrain de jeux	el parque infantil, -s
jouet	el juguete, -s
lave-vaisselle	el lavavajillas, -
centre	el centro, -s
habiter au centre-ville	vivir en el centro
périphérie	las afueras
habiter en banlieue	vivir en las afueras
lampadaire	la lámpara de pie, -s
poste	el puesto, -s
obtenir un poste d'enseignant	obtener un puesto como maestro
placer, poser, mettre qqch (direction)	poner
Je place la chaise à côté de la table.	Pongo la silla junto a la mesa.
chaîne hi-fi	el estéreo, -s
crayon	el lápiz, -ces
déranger qqch/qqn	molestar
La musique forte ne me dérange pas.	La música alta no me molesta.
tramway	el tranvía, -s

der **Strom**	electricity
das **Studium**, die Studien	(university) study
der **Süden**	South
Das Gästezimmer liegt im Süden.	The guestroom is located on the southern side (of the house).
der **Tennisschläger**, -	tennis racket
der **Teppich**, -e	carpet
die **Terrasse**, -n	terrace
tief	deep
das **Tier**, -e	animal
die **Traumwohnung**, -en	flat of your dreams
die **Treppe**, -n	stairs
das **Treppenhaus**, ̈er	staircase
üben [er hat geübt] + A	to practise sth
Klavier üben	to practise the piano
den Akkusativ üben	to practise the accusative
über + A (Wohin?), + D (Wo?)	above + acc. (direction), + dat. (location)
Ich hänge die Lampe über den Tisch.	I'm hanging the lamp above the table.
Die Lampe hängt über dem Tisch.	The lamp is hanging above the table.
die **Überraschung**, -en	surprise
das **Überraschungsmenü**, -s	surprise menu
übernehmen [er übernimmt, er hat übernommen] + A	to take (up) sth
die Rolle von Frau Kraup übernehmen	to take the role of Mrs Kraup (in the dialogue)
die **Umgebung**, -en	environment
umräumen [er räumt um, er hat umgeräumt] + A	to rearrange sth
die Wohnung umräumen	to rearrange the flat
unglücklich	unhappy
unter + A (Wohin?), + D (Wo?)	under + acc. (direction), + dat. (location)
Ich lege den Teppich unter das Fenster.	I'll lay the carpet under the window.
Der Teppich liegt unter dem Fenster.	The carpet is laying under the window.
die **Vase**, -n	vase
das **Verbot**, -e	interdiction, prohibition, ban
verboten	forbidden
Im Keller ist Spielen verboten.	It is forbidden to play in the cellar.
verdienen [er hat verdient] + A	to make money
viel Geld verdienen	to make a lot of money
vergleichen [er hat verglichen] + A	to compare sth
Vergleichen Sie die Wohnungen.	Compare the flats.
der **Verkehr**	traffic
viel/wenig Verkehr	a lot of/little traffic
vermieten [er vermietet, er hat vermietet] + A	to rent sth
Haus zu vermieten	house to rent
der **Vermieter**, -	landlord
verschieden	different, various
vertikal	vertical
der/die **Verwandte**, -n	relative (noun)
der **Videorekorder**, -	video recorder

courant, électricité	la electricidad
étude (universitaire)	el estudio
sud	sur
La chambre d'amis est située au sud.	La habitación de invitados está orientada al sur.
raquette de tennis	la raqueta de tenis, -s
tapis	la alfombra, -s
terrasse	la terraza, -s
profond	profundo
animal	el animal, -es
appartement de rêve	el piso de ensueño, -s
escalier	la escalera, -s
cage d'escalier	la escalera de la casa, -s
pratiquer qqch	ejercitar, practicar
pratiquer le piano	practicar el piano
pratiquer l'accusatif	practicar el acusativo
au-dessus de + acc. (direction), + dat. (lieu)	por encima de
J'accroche la lampe au-dessus de la table.	Cuelgo la lámpara por encima de la mesa.
La lampe est accrochée au-dessus de la table.	La lámpara cuelga encima de la mesa.
surprise	la sorpresa, -s
menu découverte	el menú sorpresa, -s
prendre qqch	encargarse
prendre le rôle de/se mettre à la place de Mme Kraup (dans le dialogue)	encargarse del papel de la Sra Kraup.
environnement	el entorno, -s
réaménager qqch	reamueblar
réaménager l'appartement	reamueblar el piso
malhereux	infeliz
sous + acc. (direction), + dat. (lieu)	bajo
Je pose le tapis sous la fenêtre.	Extiendo la alfombra bajo la ventana.
Le tapis se trouve sous la fenêtre.	La alfombra está bajo la venta.
vase	el jarrón, -es
défense, interdiction	la prohibición, -es
interdit	prohibir
Il est interdit de jouer dans la cave.	En el sótano está prohibido jugar.
gagner de l'argent	ganar, merecer
gagner beaucoup d'argent	ganar mucho dinero
comparer qqch	comparar
Comparez les deux appartements.	Compare los pisos.
circulation	el tráfico
beaucoup/peu de circulation	mucho/poco tráfico
louer qqch	alquilar (como arrendador)
maison à louer	arrendar una casa
propriétaire d'une maison	el arrendador, -es
différent	distinto
vertical	vertical
parent	el/la pariente, -s
magnétoscope	el vídeo,-s

die **Villa**, die Villen	villa
der **Vogel**, ‌"	bird
der **Vogelkäfig**, -e	bird cage
vor + A (Wohin?), + D (Wo?)	in front of + acc. (direction), + dat. (location)
Ich stelle den Tisch vor das Fenster.	I'm putting the table in front of the window.
Der Tisch steht vor dem Fenster.	The table is in front of the window.
die **Wand**, ‌"e	wall
das **Waschbecken**, -	sink
der **Wäschetrockner**, -	dryer
der **Weg**, -e	way, road
der Weg zur Arbeit	road to work
die **Wegbeschreibung**, -en	road description
weiblich	feminine, female
weit	far
der **Westen**	West
Das Schlafzimmer liegt im Westen.	The sleeping room is located on the western side (of the house).
die **Wohngemeinschaft**, -en	flat share
die **Wohnung**, -en	flat
das **Wohnungsbüro**, -s	flat rental agency
die **Wohnungseinrichtung**, -en	(interior) furnishings
der/die **Wohnungssuchende**, -n	person looking for a flat to rent/buy
das **Wohnzimmer**, -	living room
zubereiten [er bereitet zu, er hat zubereitet] + A	to prepare sth (meal)
ein Menü zubereiten	to prepare a menu
zwischen + A (Wohin?), + D (Wo?)	between + acc. (direction), + dat. (location)
Ich lege den Teppich zwischen den Schrank und das Fenster.	
Der Teppich liegt zwischen dem Schrank und dem Fenster.	
zuhören [er hört zu, er hat zugehört] + D	to listen to sth/sb
Hör mir zu.	Listen to me.

▦ Kapitel 7: Teil B | ▦ Chapter 7: Part B

der **Anteil**, -e	percentage
die **Anzahl**, -en	number (of sth)
der **Besitzer**, -	proprietor
beispielsweise	for example
der **Durchschnitt**, -e	average
im Durchschnitt	on average
das **Eigentum**	propriety
der **Eigentümer**, -	proprietor
der **Einpersonenhaushalt**, -e	one-person-household
die **Hälfte**, -n	half (noun)
der **Haushalt**, -e	household
ländlich	rural
in einer ländlichen Umgebung wohnen	to live in a rural area

Chapitre 7 | ## Capítulo 7

villa	la villa, las villas
oiseau	el pájaro, -s
cage à oiseaux	la jaula de pájaros, -s
devant + acc. (direction), + dat. (lieu)	ante, delante
Je mets la table devant la fenêtre.	Pongo la mesa delante de la ventana.
La table est devant la fenêtre.	La mesa está delante de la ventana.
mur	la pared, -es
lavabo	el lavamanos, -
sèche-linge	la secadora, -s
route, chemin	el camino, -s
trajet pour se rendre au travail	el camino al trabajo
description du parcours/trajet	la ruta, -s
féminin	femenino
loin	lejos
ouest	el oeste
La chambre est située à l'ouest.	El dormitorio está orientado al oeste.
colocation	la comunidad de vecinos, -es
appartement	el piso, -s
agence de location	la oficina del piso
ensemble du mobilier (d'un appartement)	el mobiliario del piso, -s
personne à la recherche d'un appartement	aquél que busca piso
salon, salle de séjour	la sala de estar, -s
préparer qqch (plat)	preparar (cocinar)
préparer un menu	preparar un menú
entre + acc. (direction), + dat. (lieu)	entre
Je mets le tapis entre l'armoire et la fenêtre.	Pongo la alfombra entre el armario y la ventana.
Le tapis se trouve entre l'armoire et la fenêtre.	La alfombra está entre el armario y la ventana.
écouter qqch/qqn	escuchar
Ecoute-moi !	escúchame

▥ Chapitre 7 : Partie B | ### ▥ Capítulo 7: Parte B

partie, pourcentage	la parte, -s
nombre	la paga y señal, -
propriétaire	el propietario, -s
par exemple	por ejemplo
moyen	el promedio
en moyen	en promedio
propriété	la propiedad
propriétaire	el propietario, -s
logement individuel	casa, familia unipersonal
moitié	la mitad, -s
ménage	la casa, la familia, la unidad familiar
rural	campestre
habiter dans un environnement rural	vivir en un entorno campestre

der **Single**, -s	single (noun)
die **Tradition**, -en	tradition
verwenden [er verwendet, er hat verwendet] + A	to use sth, to utilise sth
vor allem	first of all
die **Wohnsituation**, -en	housing situation

▥ Kapitel 8: Teile A, C, D   ▥ Chapter 8: Parts A, C and D

das **Abitur**	A-level, school leaving examination
akzeptieren [er akzeptierte, er hat akzeptiert] + A	to accept sth
eine Forderung akzeptieren	to accept a claim
der **Amtskollege**, -n	counterpart (m)
die **Amtskollegin**, -nen	counterpart (f)
der **Anfall**, ‟e	attack, seizure
der **Anlass**, ‟e	occasion
annehmen [er nimmt an, er nahm an, er hat angenommen] + A	to accept sth/sb
eine Einladung annehmen	to accept an invitation
der **Anrufbeantworter**, -	answering machine
auf den Anrufbeantworter sprechen	to leave a message on the answering machine
die **Anwendung**, -en	application, usage, usage
anziehen [er zieht an, er zog an, er hat angezogen] + A	to put on sth (clothing)
einen warmen Pullover anziehen	to put on a warm pullover
die **Arbeitsbedingung**, -en	working conditions
das **Arbeitsverhältnis**, -se	working conditions
der **Arm**, -e	arm
ärztlich	medical
die **Arztpraxis**, die Arztpraxen	medical centre
aufnehmen [er nimmt auf, er nahm auf, er hat aufgenommen] + A	to record sth
Töne aufnehmen	to record sounds
aufsetzen [er setzt auf, er setzte auf, er hat aufgesetzt] + A	to put on sth (glasses, hat)
eine Mütze aufsetzen	to put on a cap/bonnet
das **Auge**, -n	eye
der **Augenschmerz**, -en	eyeache
die **Ausrede**, -n	excuse
ausscheiden [er scheidet aus, er schied aus, er ist ausgeschieden]	to drop out
aus dem Wettkampf ausscheiden	to drop out of the competition
der **Außenminister**, -	foreign minister, minister of foreign affairs
der **Autoatlas**, -se	roadmap
der **Automobilhersteller**, -	car producer
der **Bauch**, ‟e	belly
die **Beförderung**, -en	promotion
das **Bein**, -e	leg
die **Bereitschaft**	willingness
die **Beschwerde**, -n	complain
Was haben Sie für Beschwerden?	What is the matter? (at the doctor's)

Chapitre 7	Capítulo 7
célibataire	el soltero, -s
tradition	la tradición, -es
utiliser qqch	utilizar
avant tout	ante todo
les conditions de logement	la situación inmobiliaria

■ Chapitre 8 : Partie A, C et D ■ Capítulo 8: Partes A, C y D

baccalauréat	la selectividad
accepter qqch/qqn	aceptar
accepter une revendication	aceptar una exigencia
collègue (m) de bureau	el colega de la oficina
collègue (f) de bureau	la colega de la oficina
attaque	el ataque (de enfermedad), -s
occasion	la ocasión, -es
accepter qqch/qqn	suponer, aceptar
accepter une invitation	aceptar una invitación
répondeur	el contestador, -es
parler sur le répondeur	dejar un mensaje en el contestador
utilisation, usage	la aplicación, -es
mettre qqch (habit, chaussures)	ponerse
mettre un pull chaud	ponerse un jersey caliente
conditions du travail	las condiciones de trabajo
conditions du travail	la relación laboral, -es
bras	el brazo, -s
médical	médico (adj)
cabinet médical	la consulta médica, -s
enregistrer qqch	grabar
enregistrer des sons	grabar tonos
mettre qqch (chapeau, lunettes)	ponerse encima
mettre un chapeau	ponerse una gorra
œil	el ojo, -s
mal aux yeux	el dolor de ojos, -s
excuse	la excusa, -s
être éliminé	recortar, eliminar
être éliminé de la compétition	eliminar de la competición
ministre des affaires étrangères	el ministro de asuntos exteriores, -s
atlas routier	el mapa de carreteras, -s
fabriquant de voitures	el productor de caravanas, -s
ventre	la barriga, -s
promotion	la promoción, -es
jambe	la pierna, -s
volonté	la disposición, -es
plainte	la apelación, -es, la queja, -s
Quelles sont vos plaintes ? Qu'est-ce qui vous manque ?	¿Qué quejas tiene usted?

die **Besserung**	recovery
Gute Besserung!	Get well soon.
bestehen [er bestand, er hat bestanden] + A	to pass sth
eine Prüfung bestehen	to pass an exam
die bestandene Prüfung	the exam passed
bestimmt	certainly, for sure
Er wird bestimmt ein guter Arzt.	He will make a good doctor for sure.
die **Beziehung**, -en	relation, relationship
der **Bundespräsident**, -en	president (in Germany or Austria)
die **Brust**, ⁝e	breast
der **Brustschmerz**, -en	breastache
ca. (zirka)	circa, about
die **Dosierung**, -en	dosage
drehen [er drehte, er hat gedreht] + A	to turn sth, to shoot sth (a film)
einen Film drehen	to shoot a film
einladen [er lädt ein, er lud ein, er hat eingeladen] A zu + D	to invite sb to sth
Ich lade dich zur Party ein.	I invite you to the party.
die **Einladung**, -en	invitation
die **Einnahme**, -n	(the action of) taking
die Einnahme einer Tablette	(the action of) taking a pill
einnehmen [er nimmt ein, er nahm ein, er hat eingenommen] + A	to take sth, to swallow sth
eine Tablette einnehmen	to take a pill
die **Einweihungsfeier**, -n	housewarming party
enthalten [er enthält, er enthielt, er hat enthalten] + A	to contain sth
Die Tablette enthält 40 mg Magnesium.	The pill contains 40 mg magnesium.
die **Entschuldigung**, -en	excuse
eine Entschuldigung schreiben	to write an excuse
eine Entschuldigung haben	to have an excuse
das **Ereignis**, -se	event
erfahren [er erfährt, er erfuhr, er hat erfahren] etw. (A) über + A	to find out sth about sth/sb
Was erfahren wir über Carlo?	What have we found out about Carlo?
eröffnen [er eröffnet, er eröffnete, er hat eröffnet] + A	to open sth (event, exhibition)
eine Ausstellung eröffnen	to open an exhibition
die **Eröffnung**, -en	opening, vernissage
ewig	eternal
ewige Liebe	eternal love
das **Experiment**, -e	experiment
die **Fachzeitschrift**, -en	technical magazine, professional journal
die **Feier**, -n	ceremony, celebration
fertig	done, ready
Ich bin mit der Arbeit fertig.	I have finished working.
Die Suppe ist fertig.	The soup is ready.
das **Fieber**, -	fever
die **Filmszene**, -n	scene of a film
der **Finger**, -	finger

rétablissement	la mejoría
Bon rétablissement !	¡Que te mejores!
réussir qqch	aprobar
réussir un examen	aprobar un examen
l'examen réussi	el examen aprobado
certainement	seguro
Il deviendra certainement un bon médecin.	Seguro que será un buen médico.
relation	la relación, -es
président de la république (en Allemagne ou en Autriche)	el presidente federal, -s
poitrine	el pecho, -s
mal de poitrine	el dolor de pecho, -es
environ	aprox.
dosage	la dosis, -
tourner qqch	girar, dirigir (film)
tourner un film	dirigir un film
inviter qqn à qqch	invitar
Je t'invite à une fête.	Te invito a una fiesta.
invitation	la invitación, -es
ingestion	la toma, -s
ingestion d'un comprimé	el tomarse una pastilla
prendre qqch (médicament)	tomar
prendre un comprimé	tomarse una pastilla
pendaison de crémaillère	la fiesta inaugural, -s
contenir qqch	contener
Le comprimé contient 40 mg de magnésium.	La pastilla contiene 40 mg de magnesio.
excuse	la disculpa, -s
écrire une lettre d'excuse	escribir una disculpa
avoir une excuse	tener una disculpa
événement	el suceso, -s
apprendre qqch sur qqch	aprender algo nuevo de alguien
Qu'apprenons-nous sur Carlo ?	¿Qué aprendemos de Carlo?
ouvrir qqch, inaugurer qqch (événement, exposition)	inaugurar
inaugurer une exposition	inaugurar una exposición
inauguration, vernissage, ouverture	la inauguración, -es
éternel	eterno
amour éternel	amor eterno
expérience	el experimento, -s
revue spécialisée	la revista especializada, -s
fête	la festividad, -es
être prêt, finir qqch	terminado
J'ai fini le travail.	He terminado con el trabajo.
La soupe est prête.	La sopa está lista.
fièvre	la fiebre, -s
scène de film	la escena de film, -s
doigt	el dedo, -s

fleißig	hard-working
die **Flüssigkeit**, -en	fluid
fordern [er forderte, er hat gefordert] + A	to claim sth
die **Forderung**, -en	claim
die **Forscher**, -	researcher
die **Führerscheinprüfung**, -en	driving test
der **Fußballklub**, -s	football club
die **Fußballmannschaft**, -en	football team
das **Fußgelenk**, -e	ankle
der **Gartenzwerg**, -e	garden gnome
gegen + A	against sth/sb
gegen eine Mannschaft verlieren	to lose against a team
gegen schlechte Arbeitsbedingungen protestieren	to protest against bad working conditions
das **Gehalt**, ̈er	salary
gerade	straight
gerade sitzen	to sit up straight
der **Gesang**, ̈e	song
die **Geschichte**, -n	story, history
eine Geschichte erzählen	to tell a story
gesetzlich	legal, statutory
eine gesetzliche Krankenkasse/Kasse	statutory health insurance
die **Gesprächsbereitschaft**	willingness to dialogue
die **Gesundheit**	health
der **Glückwunsch**, ̈e	good wish
Herzlichen Glückwunsch!	Congratulations.
die **Glückwunschkarte**, -n	greeting card
gratulieren [er gratulierte, er hat gratuliert] + D, zu + D	to congratulate sb on sth
Ich gratuliere dir zum Geburtstag.	I wish you a happy birthday.
die **Grippe**, -n	flu
das **Haar**, -e	hair
das **Halbfinale**, -	semi-final
der **Hals**, ̈e	throat, neck
der **Halsschmerz**, -en	sore throat
die **Hand**, ̈e	hand
das **Handgelenk**, -e	wrest
häufig	frequent
der **Hauptdarsteller**, -	main actor
die **Hauptfigur**, -en	main character
das **Heim**, -e	home
heiraten [er heiratet, er heiratete, er hat geheiratet] + A	to get married, to marry sb
Jakob heiratet.	Jacob is getting married.
Jakob heiratet eine junge Frau.	Jacob is marrying a young woman.
der **Hersteller**, -	producer, manufacturer
die **Hochzeit**, -en	wedding
die **Hochzeitsfeier**, -n	wedding ceremony
der **Hochzeitstag**, -e	wedding day

travailleur (adj.)	aplicado
liquide	el fluido, -s
revendiquer qqch	exigir
revendication	la exigencia, -s
chercheur	el investigador, -es
examen du permis de conduire	el examen del carné de conducir, -es
club de football	el club de fútbol, -es
équipe de football	el equipo de fútbol, -s
cheville	el tobillo, -s
nain de jardin	el enano del jardín, -s
contre qqch/qqn	contra
perdre contre une équipe	perder contra un equipo
protester contre de mauvaises conditions de travail	protestar contra las malas condiciones laborales
salaire	el salario, -s
droit	derecho
se tenir droit	sentarse derecho
chant	el canto, -s
histoire	la historia, -s
raconter une histoire	contar una historia
légal	legal
une caisse d'assurance	un seguro médico legal
ouverture/volonté de dialoguer	la disposición al diálogo
santé	la salud
félicitation	los buenos deseos
Félicitations !	¡Muchas felicidades!
carte de voeux	la tarjeta de felicitación, -s
féliciter qqn pour qqch	felicitar
Félicitations (lit. : Je te félicite) pour ton anniversaire.	Te felicito por tu cumpleaños.
grippe	la gripe, -s
cheveux	el pelo, -s
demi-finale	la semifinal, -es
cou	el cuello,-s
mal de cou	el dolor de garganta, -es
main	la mano, -s
poignet	la muñeca, -s
souvent	a menudo
protagoniste	el actor principal, -es
personnage principal	el personaje principal, -es
maison	el hogar, -es
épouser qqn, se marier	casarse
Jacobe se marie.	Jacob se casa.
Jacobe épouse une jeune femme.	Jacob se casa con una joven.
producteur, fabriquant	el productor, -es
mariage, noce	la boda, -s
cérémonie de mariage	la celebración de la boda, -es
jour du mariage	el día de la boda, -s

hoffen [er hoffte, er hat gehofft auf] + A	to hope for sth
Die Hersteller hoffen auf viele Kunden.	The producers are hoping for many clients.
hörbar	audible
husten [er hustet, er hustete, er hat gehustet]	to cough
der **Husten**	cough, coughing
international	international
das **Interesse** an + D	interest for sth
der/die **Jugendliche**, -n	youngster
das **Kaffeeservice**, -(s)	coffee set
der **Kater**, -	here: hangover
einen Kater haben	to have a hangover
der **Käufer**, -	buyer
der **Klub**, -s	club
das **Knie**, -	knee
der **Kopf**, ̈e	head
der **Kopfschmerz**, -en	headache
der **Korb**, ̈e	basket
der **Körper**, -	body
der **Körperteil**, -e	part of the body
krank	sick, ill
die **Krankenhausführung**, -en	hospital top management
die **Krankenhausleitung**, -en	hospital top management
die **Krankenkasse**, -n	health insurance fund
die **Krankheit**, -en	illness
die **Liebe**, -n	love
das **Liebeslied**, -er	love song
das **Lied**, -er	song
loben [er lobte, er hat gelobt] + A	to praise sth/sb
los	here: up
Was ist los?	What's up? What's going on?
der **Lottogewinn**, -e	lottery gain
die **Mannschaft**, -en	team
das **Matchboxauto**, -s	matchbox car
das **Mäusemännchen**, -	male mouse
das **Medikament**, -e	medicine
der **Mediziner**, -	doctor, physician
die **Melodie**, -n	melody
die **Messe**, -n	fair
die **Migräne**, -n	migraine
der **Migräneanfall**, ̈e	attack of migraine
der **Minister**, -	minister
das **Modell**, -e	model
möglichst	as possible
Bilden Sie möglichst viele Sätze.	Build as many sentences as possible.
der **Mund**, ̈er	mouth
die **Mütze**, -n	cap, bonnet
die **Nachricht**, -en	news

espérer qqch	esperar
Les producteurs espèrent avoir beaucoup de clients.	Los productores esperan muchos clientes.
audible	audible
tousser	toser
toux	la tos
international	internacional
intérêt pour qqch	el interés por
le/la jeune	el/la joven, -es
service à café	el servicio de café, -s
ici : la gueule de bois	la resaca
avoir la gueule de bois	tener resaca
acheteur	el comprador, -es
club	el club, -es
genou	la rodilla, -s
tête	la cabeza, -s
mal de tête	el dolor de cabeza, -s
panier	el cesto, -s
corps	el cuerpo, -s
partie du corps	la parte corporal, -s
malade	enfermo
direction de l'hôpital	la dirección del hospital, -es
direction de l'hôpital	la dirección del hospital, -es
caisse d'assurance maladie	el seguro médico, -s
maladie	la enfermedad, -es
amour	el amor, -es
chanson d'amour	la canción de amor, -es
chanson	la canción, -es
louer qqch/qqn, faire des éloges	alabar
en avant, vas-y, allez-y	suelto
Qu'est-ce qui se passe ?	¿Qué pasa?
gain au loto	la ganancia en la lotería, -s
équipe	el equipo, -s
voiture miniature	el coche de juguete, de miniatura
souris mâle	el ratón (macho)
médicament	el medicamento, -s
médecin	el médico, -s
mélodie	la melodía, -s
foire	la conferencia, -s
migraine	la migraña, -s
crise de migraine	el ataque de migraña, -s
ministre	el ministro, -s
modèle	el modelo, -s
autant que possible	posibles
Composez autant de phrases que possible.	Construya muchas frases si es posible
bonnet	la boca, -s
bouche	la gorra, -s
nouvelle	la noticia, -s

nächst-	next
nächste Woche	next week
die **Nebenwirkung**, -en	side effect
der **Nerv**, -en	nerve
das **Ohr**, -en	ear
der **Ohrenschmerz**, -en	earache
der **Patient**, -en	patient
der **Po**, -s	behind (noun)
der **Pokal**, -e	cup
potenziell	potential
der **Präsident**, -en	president
die **Premiere**, -n	first/opening night
das **Produkt**, -e	product
der **Protest**, -e	protest
protestieren [er protestierte, er hat protestiert] gegen + A	to protest against sth
gegen schlechte Arbeitsbedingungen protestieren	to protest against bad working conditions
die **Prüfung**, -en	examination
die **Puppe**, -n	doll
das **Recht**, -e	right
Du hast recht.	You are right.
die **Reihenfolge**, -n	order
der **Regisseur**, -e	filmmaker
die **Rose**, -n	rose
der **Rücken**, -	back
der **Rückenschmerz**, -en	backache
rund	around
rund 250 Leute	around 250 people
sauber machen [er machte sauber, er hat sauber gemacht] + A	to clean sth
die Wohnung sauber machen	to clean the flat
schenken [er schenkte, er hat geschenkt] + D + A	to give sb sth (as a present)
Ich schenke meiner Oma einen Blumenstrauß.	I'll give my Grandma a bunch of flowers.
der **Schmerz**, -en	pain
große/schreckliche Schmerzen haben	to be in pain/to have terrible pains
die **Schmerztablette**, -n	painkiller
der **Schnaps**, ⸚e	schnaps
der **Schnupfen**, -	cold (noun)
selbst gemacht	of one's own making
sicher	surely, for sure
Sie wird sicher eine gute Ärztin.	She will surely make a good doctor.
signalisieren [er signalisierte, er hat signalisiert] + A	to signalize, to indicate, to demonstrate sth
Gesprächsbereitschaft signalisieren	to demonstrate a willingness to dialogue
singend-	singing
singende Mäuse	singing mice
spielen [er spielte, er hat gespielt] (Wo?)	to play, to take place (location)
Der Film spielt in einem Flugzeug.	The film takes place in an airplane.

suivant, prochain	siguiente
semaine prochaine	la semana siguiente
effet secondaire	el efecto colateral, -s
nerf	el nervio, -s
oreille	el oído, la oreja, -s
mal d'oreille	el dolor de oído, -es
patient	el paciente, -s
fesses	el culo, -s (eufemismo)
coupe	la copa, -s
potentiel	potencial
président	el presidente, -s
première (d'un film)	la primera actuación, -s
produit	el producto, -s
protestation	la protesta, -s
protester contre qqch/qqn	protestar
protester contre les mauvaises conditions du travail	protestar contra la mala situación laboral
examen	el examen, -es
poupée	la marioneta, -s
droit, justice	derecho, -s
Tu as raison.	Tienes razón.
ordre, suite	la secuencia,- s
metteur-en-scène	el director, -es
rose	la rosa, -s
dos	la espalda, -s
mal de dos	el dolor de espalda, -s
environ	aproximadamente
250 persones environ	unas 250 personas
nettoyer qqch	limpiar
nettoyer l'appartement	limpiar el piso
offrir en cadeau qqch à qqn	regalar (algo a alguien)
J'offre à ma grand-mère un bouquet de fleurs.	Le regalo un ramo de flores a mi abuela
douleur, mal	el dolor, -es
avoir de grandes douleurs/des douleurs terribles	tener grandes/terribles dolores
comprimé analgésique	la pastilla contra el dolor, -s
eau-de-vie	el licor, -es
rhume	el catarro, -s
fait maison	hecho por uno mismo
sûrement, pour sûr	seguro
Elle deviendra pour sûr un bon médecin.	Ella seguro que será una buena médico
signaler qqch	señalizar
signaler d'être ouvert au dialogue	mostrar disposición al diálogo
chantant	cantores
les souris chantantes	ratones cantores
ici : se dérouler (film) (lieu)	jugar, actuar
Le film se déroule dans un avion.	La película se desarrolla en un avión

der **Sportwagen**, -	sports car
das **Sportwagenmodell**, -e	sports car model
stimmen [es stimmte, es hat gestimmt]	to be true, to be correct
Das stimmt.	It is true.
die **Szene**, -n	scene
die **Tablette**, -n	tablet, pill
eine Tablette einnehmen	to take a pill
teilweise	partly
der **Ton**, ̈e	sound
die **Übelkeit**, -en	feeling of sickness, nausea
der **Ultraschall**	ultrasonic, ultrasound
die **Ultraschallfrequenz**, -en	ultrasonic frequency
die **Union**, -en	union
die Europäische Union	the European Union
unbezahlt	unpaid
unbezahlte Arbeit	unpaid work
verarbeiten [er verarbeitet, er verarbeitete, er hat verarbeitet] + A	to process sth
Signale verarbeiten	to process signals
vergessen [er vergisst, er vergaß, er hat vergessen] + A	to forget sth/sb
den Termin vergessen	to forget the appointment
verkaufen [er verkaufte, er hat verkauft] + A	to sell sth
die **Verkehrsregel**, -n	traffic regulation
verlieren [er verlor, er hat verloren] + A	to lose sth
das Spiel verlieren	to lose the game
versichert sein	to be insured
verzeihen [er verzieh, er hat verziehen] + D	to forgive sb
Ich verzeihe dir.	I forgive you.
der **Vortrag**, ̈e	talk, lecture
wahr	true
Die Geschichte ist wahr.	The story is true.
wehtun [er tut weh, er tat weh, er hat wehgetan] + D	to hurt, to ache
Mir tut der Kopf weh.	My head is aching.
weltgrößt-	world's largest
die weltgrößte Messe	the world's largest fair
werden [er wird, er wurde, er ist geworden]	to become
Oma wird 80.	Grandma will be 80.
der **Wettkampf**, ̈e	competition
die **Wichtigkeit**, -en	importance
der **Wissenschaftler**, -	scientist
der **Zahn**, ̈e	tooth
die **Zehe**, -n/der **Zeh**, -en	toe
die **Zukunft**	future
die **Zunge**, -n	tongue
zurzeit	at present
die **Zusammenarbeit**	cooperation
die **Zusammensetzung**, -en	composition

voiture de sport	el coche deportivo, -s
modèle de voiture de sport	el modelo de deportivo, -s
être vrai	concordar
C'est vrai.	es correcto
scène	la escena, -s
comprimé	la pastilla, -s
prendre un comprimé	tomarse una pastilla
en partie	parcialmente
son	el tono, -s
haut de cœur, nausée	el mareo, -s
ultrason	el ultrasonido
fréquence ultrason	la frecuencia de ultrasonidos, -s
union	la unión, -es
l'Union Européenne	la Unión Europea
impayé, non-rémunéré	no remunerado
travail non rémunéré	trabajo no remunerado
traiter qqch	trabajar, procesar
traiter des signaux	procesar señales
oublier qqch/qqn	olvidar
oublier le rendez-vous	olvidar una cita
vendre qqch	vender
Code de la route	la norma de circulación, -s
perdre qqch/qqn	perder
perdre le jeu	perder un partido
être assuré	estar asegurado
pardonner à qqn	perdonar
Je te pardonne.	Te perdono.
présentation, lecture	la conferencia, la charla
vrai	verdadero
L'histoire est vraie.	La historia es real.
faire mal à qqn	doler
J'ai mal à la tête.	Me duele la cabeza.
le plus grand du monde	más grande del mundo
la plus grande foire du monde	la feria más grande del mundo
devenir	llegar a ser, cumplir
Mamie aura 80 ans.	La abuela cumple 80.
compétition	la competición, -es
importance	la importancia, -s
savant, scientifique	el científico, -s
dent	el diente, -s
orteil	el dedo del pie, -s
avenir	el futuro,
langue	la lengua, -s
en ce moment	por ahora
collaboration	el trabajo conjunto
composition	la composición, -es, el montaje, -s

▧ Kapitel 8: Teil B

▧ Chapter 8: Part B

absolut	absolute
das **Arbeitsklima**	work climate
arrogant	arrogant
die **Atmosphäre**, -n	atmosphere
das **Ding**, -e	thing
der **Eindruck**, ⸾e	impression
einen positiven/negativen Eindruck machen	to make a positive/negative impression
eng	tight
enge Kontakte	tight contacts
das **Fest**, -e	celebration, feast
flirten [er flirtet, er flirtete, er hat geflirtet mit] + D	to flirt with sb
die **Folge**, -n	consequence
Das bleibt nicht ohne Folgen.	This will have consequences.
sich **freuen** [er freute sich, er hat sich gefreut] auf + A (reflexiv)	to look forward to sth (reflexive)
Wir freuen uns auf den Urlaub.	We look forward to our holiday.
die **Gefahr**, -en	danger
die **Gehaltserhöhung**, -en	salary raise
gelten [er gilt, er galt, er hat gegolten] als + Adj.	to be consider to be + adj.
Diese Menschen gelten als unsozial.	These people are considered to be antisocial.
gesprächig	talkative
das **Gesprächsthema**, -themen	subject, topic of conversation
gestört	deranged, disturbed
Das Arbeitsklima ist gestört.	The work climate is disturbed.
hinten	behind
hinten liegen	to be at the end of a list
die **Jahresabschlussfeier**, -n	end-of-year party
die **Karriere**, -n	career
der **Karriereberater**, -	career consultant
das **Mittelfeld**, -er	midfield
im Mittelfeld liegen	to be in the average range
die **Personalabteilung**, -en	personnel department, human resource department
persönlich	personally
privat	private
reden [er redete, er hat geredet]	to talk
reichlich	abundantly
reichlich Alkohol trinken	to drink a lot of alcohol
sozial	social
stattfinden [er findet statt, er fand statt, er hat stattgefunden]	to take place
Die Feier findet in der Kantine statt.	The party will take place in the canteen.
tabu	taboo
die **Tür**, -en	door
vor der Tür stehen (idiomatisch)	to be approaching
überreichen [er überreichte, er hat überreicht] + D + A	to hand over sth to sb
dem Chef ein Geschenk überreichen	to hand over a present to the supervisor
unangenehm	unpleasant

▥ Chapitre 8 : Partie B

▥ Capítulo 8: Parte B

Français	Español
absolu	absoluto
ambiance au travail	el ambiente de trabajo
arrogant	arrogante
atmosphère	la atmósfera, -s
chose	la cosa, -s
impression	la impresión, -es
donner une impression positive/négative	dar una impresión positiva/negativa
étroit	estrecho
des contacts étroits	contacto estrecho
fête, célebration	la fiesta, -as
flirter avec qqn	ligar con
conséquence	la consecuencia, -s
Cela ne restera pas sans conséquences.	Esto no queda sin consecuencias.
avoir hâte de faire qqch (réflexif)	alegrarse (de)/ él se alegra, él se ha alegrado
Nous avons hâte d'être en vacances.	Nos alegramos por las vacaciones.
danger	el peligro, -s
augmentation du salaire	la subida salarial, -s
être considéré comme, passer pour	considerarse como
Ces gens sont considérés commes des antisociaux.	Estas personas se consideran asociales.
bavard	conversacional
sujet de conversation	el tema de conversa, -s
gêné, dérangé	enrarecido
L'ambiance au travail est perturbée.	La atmósfera de trabajo está enrarecida.
derrière	detrás
être derrière	ir por detrás
réunion de clôture	la fiesta de fin de curso/año, -s
carrière	la carrera, -s
consultant professionnel	el consejero profesional, -s
milieu, ici : moyenne	el medio del campo
être dans la moyenne	estar en el medio del campo
département du personnel	la división de personal, -es
personnellement, en personne	personalmente
privé	privado
parler	hablar
abondamment	mucho
boire abondamment de l'alcool	beber mucho alcohol
social	social
avoir lieu	tener lugar
La réunion aura lieu à la cantine.	La fiesta tiene lugar en la cantina.
tabou	tabú
porte	puerta
être imminent (idiomatique)	estar en/a las puertas de
remettre qqch à qqn	alcanzar, dar, otorgar
remettre un cadeau au chef	darle un regalo al jefe
désagréable	incómodo

unsozial	antisocial
vorn	at the front, ahead
vorn liegen	to be on top of a list
die **Vorsicht**	attention
Vorsicht!	Be careful! Beware!
warum?	why?
weihnachtlich	of Christmas (adj)
Weihnachts-	Christmas (part of a compound noun)
Weihnachtsfeier	Christmas party
das **Weihnachtsgebäck**, -e	Christmas cake
Zypern	Cyprus

Chapitre 8	Capítulo 8
antisocial	asocial
devant	delante
être devant	estar por delante
attention, précaution	precaución
Attention !	¡Cuidado!
pourquoi ?	¿por qué?
de Noël (adj.)	navideño
de Noël (premier élément d'un nom composé)	Navidad
fête de Noël	la fiesta de Navidad etc
biscuit de Noël	el pastel de Navidad
Chypre	Chipre